DENTAL MANAGEMENT OFFICER
치과경영관리사

신 철 지음

세무회계
이론

군자출판사

치과경영관리사

세무회계이론

첫째판 1쇄 인쇄   2021년 01월 12일
첫째판 1쇄 발행   2021년 01월 22일
첫째판 2쇄 발행   2022년 02월 10일

지 은 이   신 철
발 행 인   장주연
출 판 기 획   한수인
책 임 편 집   이경은
편집디자인   신지원
표지디자인   신지원
발 행 처   군자출판사
　　　　　등록 제 4-139호(1991. 6. 24)
　　　　　본사 (10881) **파주출판단지** 경기도 파주시 회동길 338(서패동 474-1)
　　　　　Tel. (031) 943-1888   Fax. (031) 955-9545
　　　　　홈페이지 | www.koonja.co.kr

* 파본은 교환하여 드립니다.
* 검인은 저자와의 합의 하에 생략합니다.

ISBN 979-11-5955-639-5
　　　　979-11-5955-636-4 (세트)

정가 25,000원

약력

편저자 신 철

학력

- 가톨릭대학교 졸업
- 고려대학교 조세법학 석사

경력

- 현) 해인세무법인 대표이사 / 세무사
- 현) 가톨릭대학교 융복합전공 겸임교수
- 현) 역삼세무서 국선세무대리인
- 현) 한국세무사회 홍보상담위원
- 현) 서울지방세무사회 조세제도연구위원
- 전) 서초구청 OK생활자문단 세무상담위원

머리말

기업은 기업 내 다양한 부서들의 협업을 통해 활동하고 그로 인해 이익을 창출합니다. 그러나 아무리 영업을 잘해서 판매량을 늘리고, 직원을 채용한다고 하더라도 정확한 회사의 재무상태를 알고 납세의무를 정확하게 이행하지 못한다면 이 또한 무의미할 것입니다.

그래서 많은 기업들은 회계파트에서 정확하고 신속하게 업무를 해주기를 바라고 있습니다. 물론 전문가를 고용해서 정확하고 신속하기를 바라고 있지만, 전문가의 공급은 정해져 있고, 아무리 공급을 늘린다고 해도 수요를 따라가기는 부족한 실상입니다.

이러한 현상은 비단 대기업이나 중견기업에서나 발생하는 상황이 아닙니다. 중소기업이나 소상공인들도 역시 회사를 아무리 잘 운영해도 관리를 잘하지 못한다면 불필요한 지출이 커질 수 있습니다.

본서는 기초적인 세무지식을 가진 자라도 추후 치과병원이라는 특성에 맞는 세무 및 회계부분 책임자로 성장하는 데 도움을 주며, 꼭 필요한 세무 및 회계 전문가를 양성하기 위하여 만들어진 치과경영관리사 자격증을 취득하기 위해 만들어졌습니다.

물론, 기초적인 회계원리나 중급회계, 그리고 세법개론 등의 기본서적에 대한 학습이 필요합니다. 본서는 기본서적에 실려있는 내용 중에서 필요한 부분을 강조해서 실어두었으며, 요약된 내용이 실려있기 때문에 기본서적에 대한 학습을 꼭 하고 본서를 학습하기를 추천합니다.

이 책으로 공부하시는 모든 분이 세무를 아는 데 조금이나마 도움이 되고, 아울러 자격증을 취득함에 있어 도움이 되기를 바랍니다.

2022년 1월

편저자 신 철

자격소개 및 시험일정

자격소개

◉ 치과경영관리사

치과 병·의원의 경영합리화를 위하여 경영진단이라는 조사방법에 의거, 객관적인 입장에서 엄밀히 조사/분석하여 경영 질환의 원인을 발견하고 그에 대한 합리적인 대책을 제공할 수 있는 전문 자격사를 말합니다.

치과경영관리사 = 조사분석 + 원인발견 + 대책마련 + 임직원교육

◉ 치과경영관리사 수행직무

치과경영관리사는 의료경영이라는 특수한 환경에서 치과 병/의원의 경영 안정성 여부를 진단하고, 위험관리(risk management)를 통해 각종 손해를 예방하여, 커뮤니케이션/상담을 통해 환자를 유치/관리하여 클라이언트가 원하는 수준으로 매출이 관리될 수 있도록 양질의 교육과 컨설팅을 활용해 지속 가능한 성장 경영 모델을 구축합니다.

자격시험정보

◉ 평가 과목

경영이론	객관식 40문항 / 주관식 5문항 / 시험시간 45분
법무이론	객관식 40문항 / 주관식 5문항 / 시험시간 45분
세무회계이론	객관식 40문항 / 주관식 5문항 / 시험시간 45분
커뮤니케이션이론	객관식 40문항 / 주관식 5문항 / 시험시간 45분

◉ 평가영역

경영이론	경영의 기본 프로세스, 조직 및 인적자원관리, 마케팅 관리, 원무관리, 전략, 재무관리에 관한 기본적인 개념 및 실무 응용능력
법무이론	치과경영관리사가 갖추어야 할 법적 지식과 법률관련 실무 처리 업무가 가능한지 여부
세무회계이론	치과 병·의원의 종합소득세의 계산과 부가가치세 및 원천징수의 개요
커뮤니케이션이론	내·외부 고객과의 효율적인 커뮤니케이션을 위한 기본 이론의 이해와 실무 적용 가능 여부

◉ 시험일정

구분		일정
시험일정		연 3회 시행(4월, 8월, 12월) 치과경영관리사 홈페이지(www.dentalexam.org)에서 시험일정 확인
원서접수		치과경영관리사 홈페이지(www.dentalexam.org) 접속 → 원서접수
합격기준		100점 만점 기준에 40점 이상이며, 평균 점수가 60점 이상
합격자 발표		치과경영관리사 홈페이지(www.dentalexam.org) 접속 → 성적확인
응시 자격	연령 및 학력	제한 없음
	결격사유에 해당하지 않는 자	
		– 부정행위자 처분 후 3년이 지나지 않은 자 – 미성년자, 피한정후견인 또는 피성년후견인 – 파산선고를 받고 복권되지 아니한 자 – 금고 이상의 실형의 선고를 받고 그 집행이 종료(종료된 것으로 보는 경우를 포함한다)되거나 집행을 받지 아니하기로 확정된 후 2년이 경과되지 아니한 자 – 금고 이상의 형이 집행유예를 받고 그 집행유예기간 중에 있는 자

목차

CHAPTER **1** 원천세의 이해 ··· **011**

CHAPTER **2** 부가가치세법의 이해 ·· **027**

CHAPTER **3** 소득세법의 이해 ··· **105**

원천세의 이해

원천세의 이해

Dental Management Officer

01

1. 원천세

원천세의 사전적 의미는 소득에 대응하는 일정 비율의 세금을 소득을 지급하기 전에 미리 부과하여 공제하는 세금으로서 소득세법상 이자, 배당, 사업, 근로, 연금, 기타, 그리고 퇴직소득이 원천징수대상 소득이 되며, 이를 줄여서 원천세라고 한다.

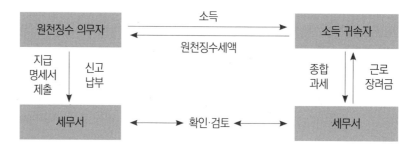

세법에서는 원천징수 업무의 효율성을 위해 원천징수의무자의 위임과 대리를 허용하고 있는데, 원천징수의무자는 국내에서 비거주자, 법인에게 세법에 따른 원천징수 대상 소득 또는 수입금액을 지급하는 개인이나 법인을 말한다.

원천징수의무자는 소득의 귀속자로부터 징수하였거나 징수하여야 할 세액을 법에서 정한 기한까지 납부하지 아니하거나 과소납부한 경우에 징수하여야 할 세액에 가산세를 부과한다.

2. 원천징수의 기본개요

1) 용어의 정의

A. 원천징수의무자

세법에 규정한 원천징수대상 소득이나 수입금액을 지급하는 사업자로서 소득을 지급받는 자로부터 소득세를 원천징수하여 관할 세무서에 납부하여야 할

의무를 가지는 자

B. 납세의무자

세법에 의하여 국세를 납부할 의무가 있는 자

C. 납세자

납세의무자와 세법에 따라 국세를 징수하여 납부할 의무를 지는 자

2) 소득세법상 원천징수 대상 소득의 분류

적용대상	원천징수 대상 소득	납부 세목
거주자	이자, 배당, 사업, 근로, 연금, 기타, 퇴직	소득의 종류에 따라 구분하여야 함
비거주자	국내원천소득 중 원천징수 대상 소득 (이자, 배당, 부동산 및 선박 등의 임대, 사업, 인적용역, 근로, 퇴직, 연금, 토지건물의 양도, 사용료, 유가증권양도, 기타)	

3) 지방소득세 및 농어촌특별세

(1) 농어촌특별세: 주택자금차입금에 대한 이자세액공제액의 20%

(2) 지방소득세: 소득세의 10%

4) 원천징수 세율

과세표준		구 분
근로소득	매월 지급하는 근로소득	간이세액표
	연말정산하는 근로소득	기본세율(6-45%)
	일용근로자의 근로소득	6%
사업소득	원천징수 대상 사업소득	3%
기타소득	기타소득금액[1]	20%
이자소득	이자소득금액(비영업대금의 이익은 25%)	14%
배당소득	배당소득금액(출자공동사업자 배당은 25%)	14%

---

1. 복권 당첨금 및 승마투표권, 슬롯머신 및 투전기, 그 외에 유사한 행위에 참가하여 받는 당첨금품 또는 이에 준하는 금품은 소득금액이 3억원을 초과하는 경우, 초과분에 대하여 30%, 소기업 소상공인 공제부금의 해지일시금과 연금외수령한 소득에 대하여는 15%의 세율을 적용한다.

5) 원천징수대상에서 제외되는 항목

(1) 소득세가 과세되지 아니하거나 면제되는 소득

(2) 과세최저한이 적용되는 기타소득금액

(3) 납세의무자가 종합소득 과세표준을 신고 및 납부한 경우

(4) 원천징수 배제대상 소득

(5) 소액부징수: 원천징수 할 세액이 1,000원 미만인 경우

6) 원천징수 시기

1월 11월 12월 말 2월 말 2월 말 또는 3월 10일

1-11월 급여 미지급 시 특례 적용 12월 급여 미지급 시 특례 적용 특례적용분 지급명세서 제출

(1) 원천징수대상 소득금액 또는 수입금액을 지급하는 때

(2) 예외: 일정시점까지 지급하지 아니하는 경우에는 특례규정이 적용되어, 해당 적용시기에 지급한 것으로 본다.

7) 원천징수영수증의 교부시기

원천징수의무자는 소득자가 본인의 소득금액 및 원천징수세액을 확인할 수 있도록 원천징수영수증을 교부하여야 한다.

대상		교부시기
근로소득	계속근로자	해당 과세기간의 다음연도 2월 말일까지(익년 2월 말일)
	중도퇴사자	퇴직일이 속하는 달의 급여 지급일 다음달 말일까지
	일용근로자	지급일이 속하는 분기 마지막 달의 다음달 말일까지
퇴직소득		지급일의 다음달 말일까지

8) 가산세

원천징수의무자는 소득자로부터 징수하여야 할 세액을 납부기한까지 납부하지 아니하거나, 과소 납부한 경우에는 납부하지 않은 세액 또는 과소납부한 세액에 대하여 아래의 금액을 원천징수 등 납부지연가산세로 부과한다.

가산세액 = min[가,나]

    (1) 미납·과소납부세액 × 3% + 미납·과소납부세액 × 25÷100,000 × 경과일수

    (2) 한도: 미납 또는 과소납부세액의 50%

3. 원천세의 신고 및 납부

원천징수의무자는 소득자로부터 원천징수한 세액에 대한 원천징수이행상황신고서를 작성하여 국세청 홈택스 또는 우편으로 관할세무서에 해당 징수일이 속하는 달의 다음달 10일까지 신고 및 납부하여야 한다.

그러나 예외규정으로 상시 고용인원이 20인 이하인 사업자의 경우, 승인에 의해 반기별로 원천세를 신고 및 납부할 수 있다.

구분		내용
신청요건	**종업원수**	직전 과세기간(신규사업자는 신청일이 속하는 반기)의 매월 말일 현재 상시 고용인원의 평균인원수 20인 이하, 종교단체
	제외대상[2]	국가 및 지방자치단체, 납세조합, 금융보험 사업자
신청기간		A. 6월 1일부터 30일까지 신청(승인) 시 　　7월부터 12월 지급분을 다음연도 1월 10일까지 신고 B. 12월 1일부터 31일까지 신청(승인) 시 　　1월부터 6월 지급분을 당해연도 7월 10일까지 신고

---

2. 법인세법 제67조에 따라 처분된 상여, 배당 및 기타소득에 대한 원전징수세액도 배제한다.

1) 원천징수세액의 선택

근로소득에 대하여 근로소득 간이세액표를 적용하여 소득세를 원천징수하는 것이 원칙이나, 근로자의 선택에 의해 간이세액표에 따른 세액의 80%, 100%, 120% 중 선택하여 원천징수할 수 있다.

이때, 원천징수세액을 조정하고자 하는 근로자는 소득세 원천징수세액 조정신청서 또는 공제신고서에 원천징수 세액의 비율을 선택하여 원천징수의무자에게 제출하여야 하며, 신청서 제출일이 속하는 다음 달부터 해당하는 과세기간의 종료일까지 계속 적용한다.

4. 지급명세서의 제출

지급명세서는 원천징수이행상황신고서와 함께 핵심 제출서류이다. 원천징수이행상황신고서에는 소득의 귀속자에 대한 과세정보가 없기 때문에, 지급명세서를 통해 소득의 귀속자에 대한 과세정보를 과세관청에 제공하는 서식이다. 이는 과세관청뿐만 아니라 건강보험공단 등에서 소득관리에 중요한 자료로 활용되기 때문에 정확하게 제출해야 한다.

1) 제출대상 소득 및 제출의무자

소득세 납세의무가 있는 개인에게 소득을 지급하는 자는 법에서 정하는 소득을 제외하고는 해당 소득에 관한 지급명세서를 원천징수 관할세무서장에게 제출하여야 한다

2) 제출시기

구 분	소득지급시기	제출기한
근로, 퇴직, 사업	1월부터 12월까지	다음 연도 3월 10일까지
일용근로소득	1월부터 12월까지	지급일이 속하는 달의 다음달 말일
근로(간이지급)	1월부터 6월까지	7월 말일까지
	7월부터 12월까지	다음 연도 1월 말일
사업(간이지급)	1월부터 12월까지	지급일이 속하는 달의 다음달 말일
이자, 배당, 기타 등	1월부터 12월까지	다음 연도 2월말

※ 휴업 또는 폐업한 경우, 해당 기준일이 속하는 달의 다음 다음달 말일까지 제출

3) 가산세

법에서 정한 기한 내에 제출하지 아니하였거나, 제출된 지급명세서가 불분명하거나 기재된 지급금액이 사실과 다른 경우에 제출하지 아니한 지급금액 또는 불분명한 지급금액의 1%(간이지급명세서는 0.5%)를 결정세액에 가산하여 징수한다.

다만, 제출기한이 지난 후 3개월 이내에 제출하는 경우에는 지급금액의 0.5%(간이지급명세서는 0.25%)를 결정세액에 가산한다.

5. 근로소득 원천징수

일반적으로 고용관계 또는 이와 유사한 계약에 의하여 비독립적 인적용역인 근로를 제공하고 그 대가로 지급받은 소득을 근로소득이라 한다. 근로자는 일반근로자와 일용근로자로 구분된다. 일반근로자는 간이세액표에 의해 원천징수 후 연말정산 과정을 거치고 일용근로자는 매일의 급여에 대해 세금을 계산하여, 원천징수후 과세종결한다.

1) 근로소득과 다른 소득과의 구분

구분	근로소득(일반)	근로소득(일용)	사업소득	기타소득
종속성	유	유	무	무
계속반복성	유	무	유	무
과세방법	예납적 원천징수	완납적 원천징수	3% 원천징수	20% 원천징수

2) 근로소득의 원천징수 방법

근로소득의 경우 간이세액표를 이용하여 원천징수하게 된다.

월급여(천원) [비과세 및 학자금 제외]		공제대상 가족의 수					
이상	미만	1	2	3	4	5	6
2,500	2,510	41,630	28,600	16,530	13,150	9,780	6,400

※ 80% 선택 시 5,630원, 120% 선택 시 8,440원을 원천징수

3) 일반근로소득과 일용근로소득의 구분

구 분	일반근로소득	일용근로소득
의 의	특정한 고용주에게 계속하여 고용되어 지급받는 급여	특정 고용주에게 고용되어 있지 않고, 일급 또는 시간급 등으로 받는 급여
특 징	근로계약에 의한 시간 또는 일수나 그 성과에 의하지 않고, 월정액에 의해 급여를 지급	근로를 제공한 날이나 시간에 따라 대가를 계산하거나, 제공한 날 또는 근로성과에 따라 지급
원천징수 세액 계산	근로소득 간이세액표의 세액 (근로자가 80, 100, 120% 선택가능)	(과세소득-15만원)×6%×(1-55%)
연말정산	대상	대상 아님

6. 기타소득 원천징수

이자, 배당, 사업, 근로, 연금, 퇴직, 양도소득 외의 소득 중에서 소득세법에서 과세대상으로 열거된 소득을 기타소득이라 한다.

1) 원천징수세율

유형	원천징수세율
일반적인 기타소득	20%
복권당첨금과 승마투표권 등의 구매자가 받는 환급금, 슬롯머신 당첨금품 등의 소득금액이 3억원을 초과하는 경우	30%
연금계좌에서 연금외수령하여 기타소득으로 과세하는 경우	15%
종교인소득	종교인소득 간이세액표

2) 과세최저한

다음의 어느 하나에 해당하는 경우, 소득세를 과세하지 않는다.

① 승마투표권, 승자투표권, 소싸움경기투표권, 체육진흥투표권의 구매자가 받는 환급금으로서 건별로 투표권의 권면에 표시된 금액이 10만원 이하이고, 적중한 개별투표당 환급금이 10만원 이하인 경우 또는 단위투표당 환급금이

100배 이하이면서 적중한 개별 환급금이 200만원 이하인 경우

② 슬롯머신 및 투전기, 기타 이와 유사한 기구를 이용하는 행위에 참가하여 받는 당첨금품, 배당금품 또는 이에 준하는 금품이 건별로 200만원 이하인 경우

③ 기타소득금액이 매 건마다 5만원 이하인 경우에는 소득세를 과세하지 않는다.

예 |
2020년 1월 자문으로 인한 일시적인 용역제공의 대가로 125,000원을 지급하였다.
이 경우, 기타소득금액과 원천징수세액은 얼마인지 계산해보자.

풀이 |
기타소득금액 = 지급총액 − 필요경비
= 125,000원 − 75,000원(60% 필요경비) = 50,000원(과세최저한)

3) 기타소득의 원천징수 방법

(1) 원천징수 대상 소득

① 기타소득금액(총수입금액에서 필요경비를 차감한 금액) × 원천징수세율

② 종교인소득 지급 시는 종교인소득의 간이세액표에 의해 징수

(2) 원천징수 제외 대상 소득

뇌물, 알선수재 및 배임수재에 의해 수령하는 금품은 원천징수를 하지 않는다.

7. 사업소득 원천징수

사업소득이 있는 경우 원칙적으로 종합소득세과세표준 확정신고를 하여야 한다. 단, 간편장부대상자가 받는 일부 원천징수대상 사업소득에 대하여 이를 지급하는 원천징수 의무자가 해당소득에 대한 연말정산을 함으로써 납세의무는 종결된다.

1) 원천징수 대상 사업소득[3]

① 의료보건 용역[4](수의사의 용역을 포함한다.)

② 원천징수 대상 인적용역

가. 개인이 물적시설 없이 근로자를 고용하지 않고, 독립된 자격으로 용역을 공급하고 대가를 받는 인적용역(저술, 작곡, 음악, 무용, 성우, 배우 등 이와 유사한 용역)

나. 개인, 법인 또는 법인격 없는 사단·재단, 그 밖의 단체가 독립된 자격으로 용역을 공급하고 대가를 받는 인적용역(국선변호인의 국선변호와 기획재정부령으로 정하는 법률구조, 새로운 학술 또는 기술개발을 위한 연구용역, 장애인복지법 제40조에 따른 장애인보조견 훈련용역 등)

2) 원천징수 의무자

(1) 사업자: 사업소득이 있는 거주자로서 사업자 등록의 유무는 무관함

(2) 법인세의 납세의무자

(3) 국가 및 지방자치단체

(4) 민법 기타 법률에 의해 설립된 법인과 국세기본법상 법인으로 보는 단체

3) 연말정산 대상 사업소득

간편장부대상자로서 아래의 어느 하나에 해당하는 사업자에게 사업소득을 지급하는 원천징수의무자는 해당과세기간의 사업소득 금액에 대하여 연말정산하여 소득세를 징수한다.

---

3. 관련 사례

1. 고용관계 없이 독립된 자격으로 인적용역을 제공하는 경우에는 사업소득이나 고용관계에 따라 근로를 제공하고 받는 대가는 근로소득에 해당함(서면1팀-527, 2006.04.26.)
2. 전문적 지식을 가진 자가 고용관계 없이 독립된 지위에서 계속적·반복적으로 당해 지식을 활용하여 용역을 제공하고 그 대가를 지급받는 경우에는 사업소득, 일시적으로 용역을 제공하고 지급받는 대가는 기타소득으로 구분함(소득-256, 2008.07.28.)

4. 원천징수가 제외되는 금액은 다음과 같다.

약사법에 의한 약사가 제공하는 의약품의 조재용역의 공급으로 발생하는 사업소득 중 의약품가격이 차지하는 비율에 상당하는 금액에 대하여는 원천징수 대상 금액에서 제외한다.

(1) 보험모집인

(2) 방문판매원 및 음료배달원

연말정산 대상 사업소득금액은 다음과 같이 계산한다.

사업소득금액 = 수입금액 × 연말정산 사업소득률[5]

4) 사업소득 원천징수 방법

원천징수의무자는 원천징수대상 사업소득의 3%를 원천징수하여 그 징수일이 속하는 다음달의 10일까지 신고 및 납부하여야 한다.

---

5. 소득률 =(1−단순경비율), 수입금액 4천만원 초과분은 초과율을 적용한다.

〈사업소득 연말정산 계산 절차 및 사례〉

사업소득수입금액		사업소득 연말정산대상자가 연간 지급받은 사업소득 수입금액 사례: 방문판매원: 연간 소득 5천 만원
사업소득금액		사업소득금액+사업소득 수입금액×연말정산사업소득의 소득률 사례: 사업소득금액+5천만원×소득률(4천만원 이하분 25%, 4천만원 초과분 35%)=1,350만원
	종합소득공제	기본공제, 추가공제, 연금보험료공제, 기부금공제(이월분) 사례: 종합소득공제=660만원 기본공제 4명(자녀 2명) 600만원, 연금보험료 60만원
	그 밖의 소득공제	개인연금저축 소득공제, 투자조합출자 등 소득공제 사례: 그 밖의 소득공제=48만원 개인연금저축 납입액 120만원(120만원×40%=48만원)
종합소득과세표준		종합소득과세표준=사업소득금액-종합소득 공제-그 밖의 소득공제 사례: 1,350만원-660만원-48만원=642만원
산출세액		산출세액= 종합소득과세표준×기본세율 사례: 642만원×6%=385,200원
	세액공제	자녀세액공제, 연금계좌세액공제, 표준세액공제(7만원) 사례: 자녀세액공제 30만원, 표준세액공제 7만원=37만원
결절세액		결정세액=산출세액-세액공제 사례: 385,20 0원-370,000원=15,200원
	기납부세액	
차감납부할세액		차감납부할세액=결정세액-기납부세액 사례: 15,200원-1,500,000원=1,484,800원

〈출처: 2020년 원천세 신고안내, 국세청〉

01 다음 중 원천징수제도에 대한 설명으로 옳지 않은 것은?

① 원천징수의무자는 원천징수대상 소득금액을 지급하는 때 원천징수를 해야 한다.
② 원천징수이행상황신고서는 징수일이 속하는 달의 다음달 10일까지 관할세무서에 제출한다.
③ 원천징수 세액은 징수일이 속하는 달의 말일까지 금융회사 또는 세무서에 납부한다.
④ 근로소득에 대해서는 근로소득 간이세액표를 적용하여 원천징수한다.

정답 **3**

원천징수의무자는 원천징수한 세액을 징수일이 속하는 달의 다음달 10일까지 금융회사 또는 관할세무서에 납부하여야 한다.

02 원천징수에 대한 내용 중 틀린 것은?

① 근로소득에 대한 원천징수세액은 근로소득간이세액표에 따른 세액의 80%, 100%, 120% 중 선택할 수 있다.
② 근로소득 연말정산으로 인한 추가 납부세액이 10만원을 초과하는 경우에는 분할하여 납부할 수 있다.
③ 최초신고한 내용이 세법에 의하여 신고할 세액을 초과한 경우에는 경정청구를 통하여 환급 받을 수 있다.
④ 근로소득의 경우 원천징수의무자는 소득자에게 해당 과세기간의 종료일까지 근로소득원천징수영수증을 교부하여야 한다.

정답 **4**

원천징수의무자는 소득자에게 해당 과세기간의 다음 연도 2월 말일까지 근로소득자에게 발급하여야 한다.

03 다음 중 원천징수에 관한 설명 중 옳은 것은?

① 원천징수의무자가 징수하여야 할 세액을 기한까지 납부하지 않은 경우 미납한 금액의 10%에 대한 가산세를 부과한다.

② 원천징수이행상황신고는 하지 않았지만 납부는 한 경우에는 가산세가 적용되지 않는다.

③ 원천징수세액을 선택하고자 하는 신청서를 제출한 경우에는 제출일이 속하는 달부터 재변경을 신청하기 전까지 계속적으로 적용한다.

④ 연말정산에 대한 추가납부세액이 10만원을 초과하는 경우에는 분납신청을 하지 않아도 분할하여 납부할 수 있다.

정답 2

① 미납한 금액의 3% + 미납한 금액의 10,000분의 25 금액을 납부일까지 합한 금액에 대한 가산세를 부과한다

③ 원천징수세액을 선택하는 신청서를 제출한 경우에는 신청한 과세기간 종료일까지 신청한 내용으로 원천징수를 적용한다.

④ 연말정산에 대한 추가납부세액이 10만원을 초과하는 경우에는 신청하여 분할납부 할 수 있다.

04 다음 중 원천세 신고에 대한 내용으로 <u>틀린</u> 것은?

① 상시 고용인원이 20인 이하인 사업자는 신청에 의해 반기별로 원천세를 신고할 수 있다.

② 원천징수세액의 가산세 한도는 미납세액의 50%이다.

③ 원천세 신고는 귀속연월이 아닌 지급연월을 기준으로 작성한다.

④ 원천세를 반기별로 신고하려고 하는 경우에는 매반기의 종료일의 다음달 10일까지 신청 하여야 한다.

정답 4

원천세 반기신청은 매반기의 종료일까지 신청하여야 한다

05 다음 중 지급명세서에 대한 설명으로 옳지 않은 것은?

① 근로소득간이지급명세서는 상반기에만 제출하고, 하반기는 지급명세서로 갈음한다.

② 일용근로소득에 대한 지급명세서는 지급일이 속하는 분기의 다음달 말일까지 제출한다.

③ 기한이 지난 후 3개월 이후에 지급명세서를 제출하는 경우에는 지급금액에 대한 금액의 1%를 결정세액에 가산한다.

④ 휴업한 경우에는 휴업일이 속하는 다음 다음달 말일까지 지급명세서를 제출한다.

정답 **1**

근로소득간이지급명세서는 상반기, 하반기 모두 제출하여야 한다.

06 다음 중 원천징수대상 소득에 대한 설명으로 틀린 것은?

① 일시적으로 강의를 하고 지급받은 대가는 기타소득으로 구분한다.

② 일용근로소득에 대해서는 연말정산을 하지 않는다.

③ 기타소득금액이 5만원 이하인 경우에는 원천징수를 하지 않는다.

④ 보험모집인은 사업자에 해당하기 때문에 연말정산을 하지 않는다.

정답 **4**

연간 수입금액이 7,500만원 이하의 보험모집인은 근로소득자와 동일하게 연말정산으로 납세관계가 종결된다.

부가가치세법의 이해

Dental Management Officer

부가가치세법의 이해

Dental Management Officer

02

1. 부가가치세의 개요

1) 부가가치세의 의의 및 특징

부가가치세란 재화나 용역이 생산되거나 유통되는 모든 거래단계에서 생성되는 부가가치를 과세대상으로 하는 간접세를 말한다. 부가가치세는 최종 소비자가 부담하게 되며, 생산자 또는 유통업자는 세금을 징수하여 납부하는 역할을 할 뿐이다.

부가가치의 계산방법에는 가산법, 전단계거래액공제법, 그리고 전단계세액공제법이 있는데, 우리나라는 전단계세액공제법을 사용하고 있다.

전단계세액공제법에 의한 부가가치세 납부세액은 다음과 같이 계산하게 된다.

$$부가가치세\ 납부세액 = (매출액 \times 적용세율) - (매입액 \times 적용세율)$$
$$= 매출세액 - 매입세액$$

2) 납세의무자와 과세기간

(1) 납세의무자

부가가치세법상 납세의무자는 사업자이다. 사업자는 영리목적의 유무에도 불구하고 사업상 독립적으로 재화나 용역을 공급하는 자와 재화를 수입하는 자를 말한다. 단, 부가가치세를 실질적으로 부담하는 사람은 최종소비자가 된다.

과세대상	공급자	과세/면세여부	납세의무자[1]	과세여부
재화 및 용역의 공급	사업자	과세	과세사업자[1)	O
		면세	면세사업자[2)	X
	비사업자	과세 또는 면세	–	X
재화의 수입	해당없음	과세	수입하는자	O
		면세		X

① 과세사업자는 일반과세자와 간이과세자로 구분한다. 일반과세자는 매출세액에서 매입세액을 차감하여 납부세액을 계산하지만 간이과세자는 납세편의를 위해 간편한 납부세액 계산방식을 적용하고 있다.

② 면세대상 재화 또는 용역을 공급하는 사업자는 부가가치세법상 사업자가 아니며, 부가가치세의 납세의무를 지지 아니한다.

(2) 과세기간

일반과세자의 부가가치세 과세기간은 상반기와 하반기로 나누어 제1기와 제2기로 구분하고 있다.

① 일반과세자

과세기간		신고/납부기한
1기 **1월 1일부터 6월 30일**	예정신고기간: 1/1-3/31	4월 25일까지
	확정신고기간: 1/1-6/30	7월 25일까지
2기 **7월 1일부터 12월 31일**	예정신고기간: 7/1-9/30	10월 25일까지
	확정신고기간: 10/1-12/31	익년 1월 25일까지

② 간이과세자

간이과세자의 과세기간은 1년을 하나의 과세기간으로 한다.

---

1. 납세의무자의 요건을 서술하면 다음과 같다.

1. 영리목적 여부와는 무관하다.
2. 사업성을 갖추어야 한다.
3. 독립성을 갖추어야 한다.
4. 과세대상 재화나 용역을 공급하여야 한다.
5. 재화를 수입하는 자

③ 신규사업자

사업개시일로부터 그 날이 속하는 과세기간의 종료일까지로 한다.

예를 들어 2월 2일에 사업을 개시하는 사람은 2월 2일부터 6월 30일까지가 최초 과세기간이 된다.

④ 간이과세를 포기하고 일반과세자로 전환하는 경우

다음의 기간을 각각 하나의 과세기간으로 본다.

A. 간이과세자의 과세기간: 간이과세의 적용을 포기하는 신고일이 속하는 과세기간의 개시일부터 그 신고일이 속하는 달의 마지막 날까지

B. 일반과세자의 과세기간: 간이과세의 적용을 포기하는 신고일이 속하는 달의 다음 달 1일부터 그 날이 속하는 과세기간의 종료일까지

⑤ 폐업하는 경우

폐업일이 속하는 과세기간의 개시일부터 폐업일까지를 과세기간으로하며, 폐업일은 사업을 실질적으로 폐업하는 날이 원칙이나, 폐업한 날이 분명하지 않은 경우는 접수일을 폐업일로 한다.

3) 납세지

소득세와 달리 부가가치세는 사업장별로 신고 및 납부함을 원칙으로 한다.

부가가치세법에서 정의하는 사업장이란 사업자가 사업을 하기 위하여 거래의 전부 또는 일부를 하는 고정된 장소를 말한다.

구분	사업장 종류	사업자등록	신고	납부	세금계산서 발급
원칙	주사업장	O	O	O	O
	기타 사업장	O	O	O	O
주사업장 총괄납부	주사업장	O	O	O	O
	기타 사업장	O	O	X	O
사업자 단위과세	본점, 주사무소	O	O	O	O
	기타 사업장	X	X	X	X

(1) 사업장의 범위

① 업종별 사업장

업 종	사업장
A. 광업	광업사무소의 소재지
B. 제조업	최종제품을 완성하는 장소
C. 건설업, 운수업, 부동산매매업	• 법인사업자: 등기부상 소재지 • 개인사업자: 업무총괄장소
D. 부동산임대업	부동산의 등기부상 소재지
E. 무인자동판매기	업무총괄장소
F. 다단계판매업	다단계판매업자의 주된 사업장

② 직매장과 하치장

구 분	정 의	사업장 판단
직매장	직접 판매하기 위해 판매시설을 갖춘 장소	O
하치장	재화의 단순 보관, 관리시설만을 갖춘 장소로서 판매행위가 이루어지지 않는 장소	X

③ 임시사업장

기존사업장 외에 각종 경기대회나 박람회 등이 개최되는 장소에서 임시사업장을 개설하는 경우, 그 사업장은 기존사업장에 포함하는 것으로 한다. 임시사업장은 별도의 사업자등록이 필요 없으며, 개시일부터 10일 이내에 '임시사업장 개설신고서'를 관할세무서장에게 제출하면 된다. 단, 설치 기일이 10일 이내인 경우에는 개설신고를 생략할 수 있다.

(2) 주사업장총괄납부

사업장이 둘 이상인 사업자가 주된 사업장의 관할 세무서장에게 주사업장총괄납부를 신청한 경우에는 납부할 세액을 주된 사업장에서 총괄하여 납부하거나 환급받을 수 있다.

주사업장총괄납부 사업자는 납부 또는 환급만 주된 사업장에서 총괄하여 하는 것이며, 부가가치세 신고 및 세금계산서의 발급 등은 사업장별로 하여야 한다.

주사업장총괄납부를 신청하고자 하는 자는 납부하고자 하는 과세기간 개시 20일 전에 주된 사업자의 관할세무서장에게 제출하여야 하며, 언제든지 포기 가능하다. 단, 각 사업장에서 납부하고자 하는 과세기간의 개시 20일 전에 포기신고를 하여야 한다.

(3) 사업자단위과세

사업장이 둘 이상인 사업자는 사업자단위로 해당 사업자의 본점 또는 주사무소 관할세무서장에게 등록을 신청할 수 있다. 이때, 본점 또는 주사무소에서 총괄하여 신고 및 납부할 수 있으며, 세금계산서 발급 및 과세표준 신고도 가능하다.

사업자단위과세를 신청하고자 하는 자는 납부하고자 하는 과세기간 개시 20일 전에 주된 사업자의 관할세무서장에게 제출하여야 하며, 언제든지 포기 가능하다. 단, 각 사업장에서 납부하고자 하는 과세기간의 개시 20일 전에 포기신고를 하여야 한다(주사업장총괄납부 절차와 동일함).

(4) 재화를 수입하는 자

재화를 수입하는 자의 납세지는 수입을 신고하는 세관의 소재지로 한다.

4) 사업자등록

부가가치세법상 사업자는 사업개시일로부터 20일 이내에 사업자등록신청서를 사업장 관할 세무서장에게 제출하여야 한다. 단, 신규로 사업을 개시하고자 하는 경우에는 사업의 개시일 이전이라고 하더라도 사업자등록을 할 수 있다.

관할세무서장은 사업자의 인적사항과 그 외 필요한 사항을 기재한 사업자등록증을 신청일로부터 3일 이내에 신청자에게 교부하여야 하며, 기간연장이 필요한 경우 5일 이내에서 연장하고 발급할 수 있다.

(1) 사업자등록의 정정

다음 중 어느 하나에 해당하는 사유가 발생하는 경우에는 지체없이 사업자등록 정정신고서를 세무서장에게 제출하여야 한다.

정정사유	정정 재발급기한
A. 상호를 변경하는 경우	신청일 당일
B. 통신판매업자가 사이버몰의 명칭 등을 변경하는 경우	신청일로부터 2일 이내
C. 법인의 대표자를 변경하는 경우	
D. 상속으로 인하여 사업자 명의가 변경되는 경우	
E. 사업의 종류에 변동이 있는 경우	
F. 사업장을 이전하는 경우	
G. 공동사업자 구성원 또는 지분변경이 있는 경우	

(2) 휴업 및 폐업신고

사업자가 휴업 또는 폐업하는 때에는 지체없이 휴업(폐업)신고서에 사업자등록증과 폐업신고확인서를 첨부하여 세무서장에게 제출하여야 한다. 단, 사업자가 부가가치세 확정신고서에 폐업연월일 및 사유를 적고 사업자등록증과 폐업신고 확인서를 첨부하여 제출하는 경우에는 폐업신고서를 제출한 것으로 본다.

(3) 미등록사업자의 불이익

① 미등록가산세의 부과: 사업개시일로부터 20일 이내에 등록을 신청하지 아니한 경우에는 사업개시일부터 등록신청일의 직전일까지의 공급가액의 1%에 상당하는 가산세를 부과한다.

② 사업자등록 신청 전 매입세액의 불공제: 사업자등록을 신청하기 전에 발생한 매입세액은 매출세액에서 공제할 수 없다. 단, 공급시기가 속하는 과세기간이 종료한 후 20일 이내에 등록신청한 경우에는 등록신청일로부터 공급시기가 속하는 과세기간 기산일까지 역산한 기간 내의 매입세액은 공제할 수 있다.

01 부가가치세법에 대한 설명 중 옳지 <u>않은</u> 것은?

① 재화를 수입하는 자는 부가가치세 납세의무가 없다.
② 사업목적이 영리이든 비영리이든 관계없이 부가가치세의 납세의무를 진다.
③ 재화를 수입하는 자는 사업자가 아니어도 부가가치세의 납세의무자가 될 수 있다.
④ 위탁자를 알 수 있는 위탁매매의 경우에는 위탁자가 직접 재화를 공급하거나 공급 받은 것으로 본다.

정답 **1**

재화를 수입하는 자는 사업자 여부에 관계없이 재화의 수입에 대하여 부가가치세 납세의무를 진다.

02 부가가치세법상 과세기간에 대한 설명 중 옳지 <u>않은</u> 것은?

① 간이과세자의 과세기간은 매년 1월 1일부터 12월 31일까지로 한다.
② 신규사업자의 경우 최초과세기간은 사업을 개시한 날부터 그 날이 속하는 과세기간의 종료일까지가 된다.
③ 폐업하는 경우 과세기간은 폐업일이 속하는 과세기간의 개시일부터 폐업일 전날까지로 한다.
④ 일반과세자의 과세기간은 1월1일부터 6월30일까지를 제1기, 7월1일부터 12월31일까지를 제2기로 구분한다.

정답 **3**

폐업하는 경우의 과세기간은 폐업일이 속하는 과세기간의 개시일부터 폐업일까지로 한다.

03 다음 중 부가가치세법상 사업장에 대한 설명 중 <u>틀린</u> 것은?

① 제조업의 사업장은 최종제품을 완성하는 장소이다.
② 직매장은 사업장으로 구분하지만, 하치장은 사업장으로 보지 아니한다.
③ 임시사업장의 설치일이 10일 이상인 경우에는 사업자 등록을 신청해야 한다.
④ 자판기를 통한 재화나 용역을 공급하는 경우 업무를 총괄하는 장소를 사업장으로 본다.

정답 3

임시사업장은 기존사업장에 포함하는 것으로 한다. 단 임시사업장의 사업개시일부터 10일 이내에 임시사업장 개설신고서를 임시사업장의 관할세무서장에게 제출하면 된다.

04 부가가치세법에 대한 설명 중 옳지 않은 것은?

① 주사업장 총괄납부 사업자는 부가가치세 신고 및 세금계산서의 발급 등은 사업장별로 하여야 한다.

② 사업자단위 과세를 적용받으려는 사업자는 과세기간 개시 30일 전까지 신청을 하여야 한다.

③ 사업자단위 과세를 신청한 경우 관할세무서장의 승인은 필요하지 아니한다.

④ 주사업장 총괄납부를 신청한 경우에는 주된 사업장에서 총괄하여 납부하거나 환급받을 수 있다.

정답 2

사업자단위 과세 사업자로 적용받으려는 과세기간 개시 20일 전까지 신청하여야 한다.

05 부가가치세법상 사업자등록에 대한 설명으로 옳지 않은 것은?

① 사업장마다 사업 개시일부터 20일 이내에 관할 세무서장에게 사업자등록을 신청하여야 한다.

② 사업자등록을 받은 사업장 관할 세무서장은 신청일부터 3일이내에 등록증을 발급하여야 한다.

③ 사업자등록을 하지 않은 경우에는 사업개시일부터 등록을 신청한 날의 직전일까지의 공급가액의 2%에 상당하는 가산세를 부과한다.

④ 사업자가 휴업 또는 폐업하게 된 때에는 지체없이 휴업(폐업)신고서를 관할 세무서장에게 제출하여야 한다.

정답 3

사업자등록을 하지 않은 경우에는 사업개시일부터 등록을 신청한 날의 직전일까지의 공급가액의 1%에 상당하는 가산세를 부과한다.

2. 부가가치세의 과세거래

1) 재화의 공급

재화의 공급은 계약상 또는 법률상의 모든 원인에 따라 재화를 인도 또는 양도하는 것을 말한다. 여기서 말하는 재화란 재산적 가치가 있는 물건 및 권리를 말한다.

(1) 재화의 실질공급

구분		내용
재화의 실질공급		계약(거래당사자 간 의사표시의 합치로 서면 또는 구두에 의하여 성립된 법률행위)상 원인(매매계약, 교환계약, 소비대차, 임대차, 기부채납, 가공계약, 증여, 환매 등)에 의한 공급 → 상대방으로부터 인도받은 재화에 주요자재를 전혀 부담하지 아니하고 단순히 가공만하여 주는 것은 용역의 공급으로 본다.
		법률상 원인(경매, 수용, 현물출자 등)에 의한 공급 → 국세징수법에 의한 공매, 지방세 징수를 위한 공매, 수의계약 및 민사집행법에 의한 강제경매, 담보권 실행을 위한 임의경매, 민법, 상법 등 그 밖의 법률에 의하여 공급하는 것은 과세대상에서 제외한다.
재화의 공급으로 보지 않는 것	담보제공	담보제공은 채권담보의 목적에 불과하므로 재화의 공급으로 보지 아니한다. 단, 담보제공된 재화가 채무불이행 등의 사유로 인하여 담보권자 또는 제3자에게 인도되는 경우에는 재화의 공급으로 본다.
	사업양도	사업장별로 그 사업에 관한 모든 권리와 의무를 포괄적으로 승계시키는 사업의 양도는 재화의 공급으로 보지 않음
	조세물납	사업자가 사업용 자산을 상속세 및 증여세법, 종합부동산세법, 지방세법의 규정에 의하여 물납을 하는 것은 재화의 공급으로 보지 않음
	공매 및 강제경매	국세징수법에 의한 공매, 지방세 징수를 위한 공매, 민사집행법의 강제경매 및 담보권실행을 위한 임의경매에 의하여 재화를 인도·양도하는 것은 재화의 공급으로 보지 않음
	기타	출자지분양도, 명의신탁에 의한 소유권 이전, 운용리스자산의 인도

(2) 재화의 간주공급(공급의제)

사업자가 대가를 받지 아니하고 재화를 사용 및 소비하는 경우에 부가가치세를 과세하지 않는다면 부가가치세 부담없이 재화를 소비하게 되어 과세형평을 침해하는 결과를 초래하게 된다.

실질적인 재화의 공급이 아니라 하더라도 일정한 요건을 충족하면 재화를 공급한 것으로 보아 부가가치세를 과세한다.

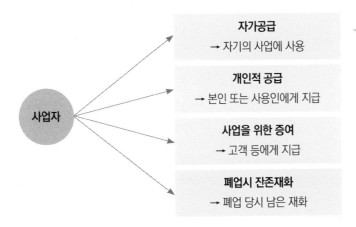

구분	내용
자가 공급	면세전용: 겸영사업자가 과세사업을 위해 생산 및 취득한 재화를 면세사업에 사용, 소비하는 경우
	비영업용 소형승용차(개별소비세법1조2항3호)와 그 유지를 위한 재화
	직매장 반출: 주사업장 총괄납부 또는 사업자단위 과세제도의 승인을 받은 사업자의 경우 간주공급으로 보지 않는다.(총괄납부시 세금계산서 발급은 공급간주)

자기의 사업을 위하여 사용하더라도 3가지의 용도로 사용하는 경우에만 부가가치세가 과세되므로 다음의 용도로 사용하는 경우에는 과세되지 않는다.

  A. 자기의 다른 사업장에서 원료, 자재 등으로 사용·소비되는 경우
  B. 자기 사업장의 기술개발을 위하여 시험용으로 사용·소비하는 경우
  C. 수선비 등 대체용으로 사용·소비하는 경우/무료서비스 제공을 위하여 사용, 소비
  D. 불량품교환·광고선전을 위한 진열 등의 목적으로 자기의 다른 사업장으로 반출

구분	내용
개인적 공급	사업자가 자기의 사업과 관련하여 생산하거나 취득한 재화를 사업과 직접 관련없이 개인적 목적으로 사용·소비하는 경우 → 작업복·작업모·작업화·직장체육비·직장연예비는 제외 → 경조사와 관련된 재화 및 설날, 추석, 생일 등과 관련된 재화를 제공하는 경우 1인당 연간 10만원을 한도로 하며, 초과하는 경우는 재화의 공급으로 본다.
사업상 증여	사업자가 자기의 사업과 관련하여 생산하거나 취득한 재화를 자기의 고객이나 불특정다수인에게 증여하는 경우로서 증여되는 재화의 대가가 주된 거래인 재화공급의 대가에 포함되지 아니하는 것은 재화의 공급으로 본다. → 대가 없는 견본품 또는 불특정다수인에게 광고선전물 무상 배포는 제외
폐업 시 잔존 재화	사업자가 사업을 폐지하는 때에 잔존하는 재화는 재화의 공급으로 봄 사업개시 전에 등록한 경우로서 사실상 사업을 개시하지 아니하게 되는 때에도 동일함

※ 직매장 반출을 제외하고는 당초 매입세액이 공제되지 아니한 경우, 재화의 간주공급으로 보지 아니한다.

구분		매입세액 불공제분	세금계산서 발급 의무	과세표준
자가공급	면세 전용	제외	없음	시가
	비영업용소형승용차 사용 및 유지비용	제외	없음	시가
	판매 목적의 타사업장 반출	포함	있음	취득가액
개인적 공급		제외	없음	시가
사업상 증여		제외	없음	시가
폐업 시 잔존재화		제외	없음	시가

2) 용역의 공급

용역의 공급은 계약상 또는 법률상의 모든 원인에 따른 것으로서 역무를 제공하거나 소유권을 이전하지 아니하고 시설물, 권리 등 재화를 사용하게 하는 것을 말한다.

(1) 용역공급의 범위

① 건설업의 경우 건설업자가 건설자재의 전부 또는 일부를 부담하는 것

② 자기가 주요자재를 전혀 부담하지 아니하고 상대방으로부터 인도받은 재화를 단순하게 가공만 해 주는 것

③ 산업상 또는 상업상, 과학상의 지식이나 경험에 관한 정보를 제공하는 것

(2) 용역의 공급으로 보지 아니하는 경우

① 용역의 자가공급

사업자가 자신의 용역을 자기의 사업을 위하여 대가를 받지 아니하고 공급함으로써 다른 사업자와의 과세형평이 침해되는 경우에는 자기에게 용역을 공급하는 것으로 본다. 단, 해당 내용에 대해서 대통령령으로 범위가 정해져 있지 않기 때문에 자가공급에 대해서는 부가가치세가 과세되지 아니한다.

② 용역의 무상공급

사업자가 대가를 받지 아니하고 타인에게 용역을 공급하는 것은 용역의 공급으로 보지 아니한다. 단, 특수관계인에게 사업용 부동산의 임대용역을 무상으로 공급하는 것은 용역의 공급으로 본다.

③ 고용관계에 의한 근로의 제공

고용관계에 따라 근로를 제공하는 것은 용역의 공급으로 보지 아니한다.

3) 재화의 수입

재화의 수입은 다음 중 어느 하나에 해당하는 물품을 국내에 반입하는 것을 말한다.

① 외국으로부터 국내에 도착한 물품으로서 수입신고가 수리되기 전의 것
② 수출신고가 수리된 물품으로서 선적된 물품

4) 부수재화 및 부수용역의 공급

구분	내용	사례
주된 거래와 관련된 경우	주된 재화/용역이 과세 → 부수되는 재화/용역도 과세	조경공사(과세)와 관련하여 함께 제공되는 꽃·나무(면세)는 본래 면세이나 해당 꽃·나무는 부수재화에 해당하므로 전체를 과세대상으로 한다.
	주된 재화/용역이 면세 → 부수되는 재화/용역도 면세	농산물 판매업자가 시장상인들에게 농산물을 공급하는 경우 농산물의 매매가액에는 항상 운송비 10,000원이 포함되어 있는 바, 동 거래에서 운송용역은 부수용역에 해당하므로 전체를 면세로 한다.
	상기 유형의 부수재화 또는 용역에 대해서 공급자는 이를 독립된 거래로 인식하지 않고 주된 재화 또는 용역의 공급을 기준으로 과세인지 면세인지 여부, 과세라면 동 재화 또는 용역의 공급에 따른 공급시기·과세표준의 계산·세금계산서 발행 및 거래징수 등을 이행하게 된다.	
주된 사업과 관련된 경우	일시우발적 공급의 경우 → 주된 사업이 면세이면 부수재화 또는 용역은 면세이나, 주된 사업이 과세이면 부수재화 또는 용역은 당해 부수재화 또는 용역이 과세면 과세, 면세면 면세됨	A은행이 종업원 출퇴근용 버스를 처분한 경우 해당 버스의 처분은 면세 ㈜B건설이 보유중인 택지를 자금사정상 매각한 경우 해당 택지의 매각은 면세
	부산물의 경우 → 주된 사업의 과세, 면세여부에 따라 결정됨	㈜무릉도원이 통조림 제조과정에서 발생한 복숭아씨를 ㈜태평양에 판매한 경우 해당 복숭아씨의 판매는 과세대상 주산물에 해당하는 밀가루는 면세에 해당하므로 부산물에 해당하는 밀기울(=이는 밀껍데기로서 부가가치세법상 면세로 규정하지 않았으므로 과세재화에 해당함)도 면세대상
	상기 유형1과 유형2의 부수재화 또는 용역은 "1. 거래와 관련된 경우"와는 달리 독립된 거래로서 인식된다. 다만, 동 부수재화 또는 용역은 거래의 빈도측면(유형1) 또는 중요성(유형2)에 비추어 볼 때 독립된 사업으로는 볼 수가 없다. 따라서 이 경우에는 "1. 거래와 관련된 경우"와는 달리 과세 또는 면세의 판정은 상기와 같이 하게 되고, 만일 과세라면 이는 독립된 거래이기 때문에 동 재화 또는 용역의 공급에 따른 공급시기·과세표준의 계산·세금계산서 발행 및 거래징수 등을 주된 사업과는 별도로 이행하게 된다.	

5) 공급시기

(1) 재화의 공급시기

① 일반적 공급시기

구분	공급시기
A. 재화의 이동이 필요한 경우 B. 재화의 이동이 필요하지 아니한 경우 C. 위의 기준을 적용할 수 없는 경우	A. 재화가 인도되는 경우 B. 재화가 이용가능하게 되는 경우 C. 재화의 공급이 확정되는 경우

② 거래형태별 공급시기

구분	공급시기
A. 현금판매, 외상판매 또는 할부판매	재화가 인도되거나 이용 가능한 때
B. 장기할부판매	대가의 각 부분을 받기로 한 때
C. 완성도기준지급 및 중간지급조건부	대가의 각 부분을 받기로 한 때
D. 반환조건부, 동의조건부, 기타조건부 및 기한 후 판매	조건이 성취되어(기한이 경과하여) 판매가 가능한 때
E. 재화의 공급으로 보는 가공의 경우	가공된 재화를 인도하는 때
F. 자가공급/개인적공급/사업상증여	재화가 사용 또는 소비되는 때
G. 폐업에 의한 의제공급의 경우	폐업하는 때
H. 무인판매기를 이용하여 판매하는 경우	무인판매기에서 현금을 인취하는 때
I. 수출재화의 경우	수출재화의 선적일

A. 장기할부판매의 경우

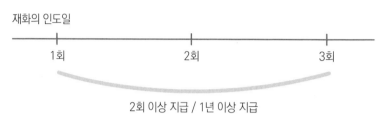

B. 중간지급조건부

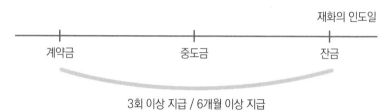

(2) 용역의 공급시기

① 일반적 공급시기

용역이 공급되는 시기는 '역무가 제공되거나 재화 또는 시설물, 권리가 사용되는 경우'로 하고 있다.

② 거래형태별 공급시기

구분	공급시기
A. 통상적인 경우	역무의 제공의 완료하는 때
B. 특정한 용역을 둘 이상의 과세기간에 걸쳐 계속적으로 제공하고 대가를 선불로 수령하는 경우	예정신고기간 또는 과세기간의 종료일
C. 임대료	대가의 각 부분을 받기로 한 때
D. 간주임대료와 선불 임대료의 경우	예정신고기간 또는 과세기간의 종료일

(3) 공급시기의 특례

① 폐업 전에 공급한 재화 또는 용역의 공급시기가 폐업일 이후에 도래하는

경우: 폐업일을 공급시기로 한다.

② 세금계산서의 발급과 공급시기

A. 선발행 세금계산서

재화 또는 용역의 공급시기가 도래하기 전에 재화 또는 용역에 대한 대가의 전부 또는 일부를 받고, 이와 동시에 그 받은 대가에 대하여 세금계산서를 교부하는 경우에는 그 발급하는 때를 공급시기로 본다.

B. 대가를 나중에 수령하는 경우

대가를 수령하지 않은 경우라도 세금계산서를 발급하고 7일 이내에 대가를 지급받은 경우에는 발급한 때를 공급시기로 본다.

단, 다음의 경우는 세금계산서 발급일로부터 7일이 지난 후 대가를 수령한 경우라 하더라도 해당 세금계산서를 발급한 때를 공급시기로 본다.

a. 거래 당사자 간 계약서 등에 청구시기와 지급시기를 별도로 기재할 것

b. 대금 청구시기와 지급시기 사이의 기간이 30일 이내인 경우

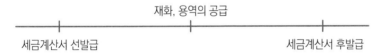

세금계산서 선발급	세금계산서 후발급
① 사업자가 공급시기가 되기 전에 대가의 전부·일부를 받고, 동시에 세금계산서를 발급	공급시기보다 후에 세금계산서 발급은 인정되지 않는 것이 원칙이나, 다음의 예외가 있다.
② 공급시기가 되기 전에 세금계산서를 발급하고, 발급일부터 7일 이내에 대가를 받는 경우	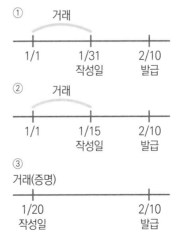
③ 계약서 등에 대금 청구시기와 지급시기가 별도 개재되고, 대금 청구시기와 지급시기가 30일 이상 차이가 나지 않는 경우	

6) 거래장소

부가가치세의 납세의무는 국내에서 거래된 재화나 용역의 공급에 대하여 성립하기 때문에 거래장소는 중요한 요소가 된다.

(1) 재화의 거래장소

재화의 거래장소는 재화의 이동 여부에 따라 공급장소가 바뀌게 된다. 이동이 필요하지 않는 경우에는 재화가 공급되는 시기에 있는 장소가 공급장소가 되며, 이동이 필요한 경우에는 재화의 이동이 시작되는 장소가 공급장소가 된다.

(2) 용역의 거래장소

역무가 제공되거나 시설물, 권리 등 재화가 사용되는 장소를 거래장소로 한다. 그러나 국내외에 걸쳐 용역이 제공되는 국제운송의 경우 사업자가 비거주자 또는 외국법인이면 여객이 탑승하거나 화물이 적재되는 장소를 용역의 공급장소로 한다.

또한 정보통신망을 통하여 국내에 제공되는 게임 등 전자적 용역의 경우 용역을 공급받는 자의 사업장 소재지, 주소지 또는 거소지를 공급장소로 한다.

01 부가가치세법상 과세거래에 대한 설명 중 옳지 <u>않은</u> 것은?

① 주식의 거래는 부가가치세법상 과세거래에 해당하지 않는다.

② 사업을 위하여 대가를 수령하지 않고 인도하는 견본품은 재화의 공급으로 보지 아니한다.

③ 사업을 폐업하는 경우 잔존하는 재화는 자기에게 공급하는 것으로 본다.

④ 사업자가 자기가 생산한 재화를 자기의 고객에게 증여하는 것은 재화의 공급으로 보지 아니한다.

정답 4

사업자가 자기가 생산 및 취득한 재화를 자기의 고객에게 증여하는 경우는 이를 재화의(간주)공급으로 본다.

02 부가가치세법상 재화의 간주공급에 대한 설명 중 <u>틀린</u> 것은?

① 자기의 과세사업과 관련하여 생산한 재화를 사후무료 서비스제공을 위하여 사용하거나 소비하는 경우 재화를 공급한 것으로 본다.

② 과세사업과 관련하여 취득한 재화를 면세사업에 사용하는 경우 이는 재화의 공급으로 보아 부가가치세를 납부하여야 한다.

③ 자기의 사업과 관련하여 생산한 재화를 판매할 목적으로 자기의 다른 사업장에 반출하는 것은 재화의 공급으로 본다.

④ 자동차판매업을 영위하는 사업자가 매입세액을 공제받은 판매용 소형승용차를 영업부서의 업무용 차량으로 사용하는 경우 이는 재화의 공급으로 본다.

정답 1

자기의 과세사업과 관련하여 생산 또는 취득한 재화를 자기의 과세사업을 위하여 사후무료 서비스제공을 위하여 사용하는 경우에는 재화의 공급으로 보지 아니한다.
(부가가치세법 기본통칙 6-15-1)

03 부가가치세법상 재화의 공급에 대한 설명 중 옳지 <u>않은</u> 것은?

① 사업자가 판매용 TV를 가사용으로 사용한 경우 이는 재화의 공급으로 본다.

② 사업자가 특허권을 매매계약을 통해 양도한 경우, 이는 재화의 공급으로 본다.

③ 사업자가 판매용 컴퓨터를 거래처에 무상으로 증여한 경우 재화의 공급으로 보지 않는다.

④ 사업자가 아닌 자가 차량을 대가를 받고 양도하는 경우는 재화의 공급으로 보지 않는다.

정답 **3**

판매용 컴퓨터를 거래처에 무상으로 증여한 경우는 사업상증여로 보아 이를 재화의(간주)공급으로 본다.

04 부가가치세법상 용역의 공급에 대한 설명으로 옳지 <u>않은</u> 것은?

① 자기가 주요자재를 전혀 부담하지 아니하고 상대방으로부터 인도받은 재화를 단순 가공만 하는 경우는 용역의 공급으로 본다.

② 사업자가 자기의 사업과 관련하여 사업장 내에서 그 사용인에게 음식용역을 무상으로 제공하는 것은 용역의 공급으로 보지 않는다.

③ 고용관계에 따라 근로를 제공하는 것은 용역의 공급으로 본다.

④ 사업자가 특수관계인에게 사업용 부동산의 임대용역을 무상으로 공급하는 것은 용역의 공급으로 본다.

정답 **3**

고용관계에 따라 근로를 제공하는 것은 용역의 공급으로 보지 않는다.
(부가가치세법 제12조 제3항)

05   다음 중 용역의 공급에 대한 내용으로 <u>틀린</u> 것은?

① 사업자가 저작권에 대한 사용료를 받는 것은 용역의 공급으로 본다.

② 회계사가 특수관계인에게 무상으로 회계자문용역을 제공하는 것은 용역의 공급에 해당한다.

③ 부동산임대업자가 임대차계약에 의해 임대료를 받고 상가를 임대하는 것은 용역의 공급으로 본다.

④ 복수의 사업장을 겸영하는 사업자가 타 사업장의 재화 또는 용역의 공급에 필수적으로 부수되는 용역을 자기의 다른 사업장에서 공급하는 경우 부가가치세를 과세하는 용역의 공급으로 보지 않는다.

정답 2

사업자가 대가를 받지 아니하고 타인에게 용역을 공급하는 것은 용역의 공급으로 보지 않는다. 단, 특수관계인에게 사업용 부동산의 임대용역을 무상으로 공급하는 것은 용역의 공급으로 본다.

06   부가가치세법상 재화 및 용역의 공급에 대한 설명으로 옳지 <u>않은</u> 것은?

① 주된 거래인 재화 또는 용역의 공급이 과세이면 그에 부수되어 공급되는 재화 또는 용역의 공급도 과세거래로 본다.

② 면세사업자가 공급하는 과세용역은 면세거래로 본다.

③ 면세재화에 부수하여 공급되는 과세재화는 주된 재화가 면세이기 때문에 부수되어 공급되는 재화도 면세로 본다.

④ 과세재화의 생산과정에서 필연적으로 발생하는 부산물은 과세로 본다.

정답 2

면세사업자가 공급하는 용역이 부가가치세법상 과세의 성격을 띤다면 이는 면세거래가 아닌 과세거래로 본다.

07 부가가치세법상 재화의 공급시기에 대한 설명으로 옳지 <u>않은</u> 것은?

① 재화의 이동이 필요한 경우, 재화가 인도되는 때를 공급시기로 본다.
② 재화의 이동이 필요하지 않은 경우, 재화를 이용가능한 때를 공급시기로 본다.
③ 자판기를 이용하여 재화를 공급하는 경우, 물건을 판매하는 때를 공급시기로 본다.
④ 동의조건부판매의 경우 조건이 성취되거나 기한이 지나 판매가 확정되는 때를 공급시기로 본다.

정답 3

무인판매기를 이용하여 재화를 공급하는 때에는 무인판매기에서 현금을 꺼내는 때를 공급시기로 본다.

08 다음 중 용역의 공급시기에 대한 설명으로 옳지 <u>않은</u> 것은?

① 일반적으로 용역의 제공이 완료되는 때를 용역의 공급시기로 본다.
② 장기할부조건으로 용역을 제공하는 경우, 대가의 각 부분을 받기로 한 때를 용역의 공급시기로 본다.
③ 특정한 용역을 둘 이상의 과세기간에 걸쳐 계속적으로 제공하고 그 대가를 후불로 받는 경우는 대가를 수령하는 시기를 공급시기로 본다.
④ 부동산임대용역을 계속적으로 공급하고 그 대가를 분기별로 약정한 날에 받기로 한 경우에는 그 대가를 받는 날을 공급시기로 본다.

정답 3

특정용역을 계속적으로 제공하고 그 대가를 후불로 받는 경우에는 예정신고기간 또는 과세기간의 종료일을 용역의 공급시기로 본다.

09 부가가치세법상 공급시기의 특례에 대한 설명으로 옳은 것은?

① 폐업일 전에 공급한 용역의 공급시기가 폐업일 이후에 도래하는 경우에는 실제 용역의 제공이 완료되는 시기를 공급시기로 본다.

② 사업자가 공급시기가 되기 전에 대가의 일부를 받고 세금계산서를 발급하는 경우에는 그 발급하는 때가 재화의 공급시기가 된다.

③ 사업자가 세금계산서의 발급시기를 경과한 이후 공급시기가 속하는 과세기간에 대한 확정신고기한까지 세금계산서를 발급한 경우, 발급한 그 때를 공급시기로 한다.

④ 장기할부판매의 경우는 대가를 수령하고, 세금계산서를 발급한 때 공급시기로 본다.

정답 **2**

① 폐업일 이후에 용역의 공급시기가 도래하는 경우에는 폐업일을 용역의 제공이 완료되는 시기로 보아 공급시기로 본다.

③ 발급한 때가 아닌 발급한 세금계산서의 작성일자를 공급시기로 한다.

④ 장기할부판매는 대가의 각부분을 받기로 한때를 공급시기로 본다.

10 다음 중 부가가치세법의 재화의 공급시기에 대한 내용 중 옳지 <u>않은</u> 것은?

① 외상판매의 경우에는 재화가 인도되거나 이용가능하게 된 때를 공급시기로 한다.

② 재화의 공급으로 의제하는 사업상증여는 해당 재화를 사용하는 때를 공급시기로 한다.

③ 장기할부판매의 경우는 대가의 각 부분을 받기로 한 때를 공급시기로 한다.

④ 국내 물품을 외국으로 반출하는 경우에는 수출하는 재화의 선적일 또는 기적일을 공급시기로 한다.

정답 **2**

사업상증여는 재화를 사용하는 때가 아닌 재화를 증여하는 때를 공급시기로 본다.

3. 영세율과 면세

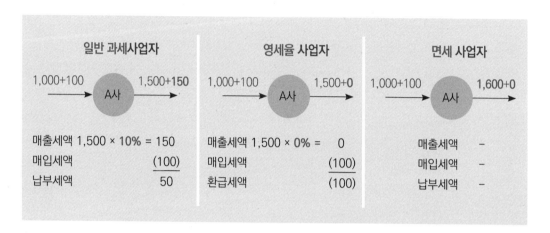

부가가치세의 세율은 일반과세, 영세, 면세, 그리고 간이과세가 있다. 일반과세의 기본세율은 10%이며, 법에서 정한 특정한 재화나 용역의 공급에 대하여 영세율을 적용하고 있다. 이 외에도 부가가치세 납세의무가 없는 면세제도와 소규모 사업자에 대한 간이과세제도가 있다.

구 분	일반과세	영세율	면세
매출세액	공급가액의 10%	공급가액의 0%	공급가액의 0%
매입세액	(−) 공급받은 가액의 10%	(−) 공급받은 가액의 10%	매입세액불공제
	= 납부(환급)세액	= 환급세액	부가가치세 신고/납부의무 없음

1) 영세율

영세율이란 재화나 용역을 공급할 때 매출세액으로 부과하는 세율을 영(0)으로 하는 것을 뜻한다. 영세율제도의 취지는 국제간 거래에 대하여 수출국에서 부가가치세를 부과하고 수입국에서 재차 부과할 경우에 이중과세가 되는 문제점을 해소하기 위하여 생산수출국에서는 완전히 면제하고 수입국에서만 과세하는 방식으로 재정되어 이중과세 문제를 해소할 수 있게 되었다.

(1) 적용대상자

① 원칙: 거주자 또는 내국법인

② 예외: 사업자가 비거주자 또는 외국법인인 경우, 해당 국가에서 거래상대
방 국의 거주자 또는 내국법인에게 동일하게 면세하는 경우에는 상호면세
주의에 의하여 영세율을 적용할 수 있다

(2) 적용대상 거래

① 재화의 수출

재화의 공급이 수출에 해당하는 경우, 그 재화의 공급에 대하여는 영세율을
적용한다.

A. 일반적인 수출

a. 내국물품을 외국으로 반출하는 것

b. 국내 사업장에서 계약과 대가 수령 등 거래가 이루어지는 것으로서 다음의
어느 하나에 해당하는 경우

- 중계무역 방식의 수출
- 위탁판매수출
- 외국인도수출
- 위탁가공무역 방식의 수출
- 원료의 반출
- 관세법에 따른 수입신고 수리 전의 물품으로서 보세구역에 보관하는 물품
의 외국으로의 반출

B. 내국신용장 또는 구매확인서에 의한 수출

사업자가 내국신용장 또는 구매확인서에 의하여 재화를 공급하는 경우

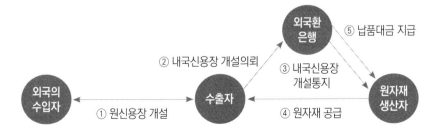

C. 한국국제협력단 등에 공급하는 재화

D. 수탁가공무역 방식의 수출

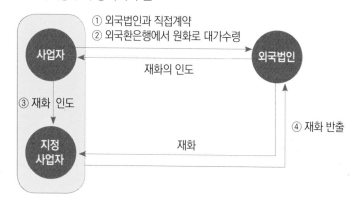

② **국외에서 제공하는 용역**

국외에서 용역을 제공하는 경우에는 대가의 수취방법이나 거래상대방에 관계없이 영세율을 적용한다. 단, 사업자가 국내사업장이 있는 외국법인에게 용역을 제공하는 경우에는 그 대가를 외화로 수령하는 경우라 할지라도 영세율이 적용되지 아니한다.

③ **기타 외화획득 재화 및 용역**

A. 선박 또는 항공기에 의한 외국항행용역의 공급

B. 국내에서 비거주자 또는 외국법인에게 공급되는 일정한 재화 또는 용역

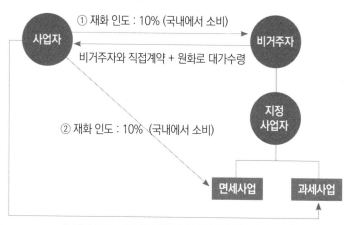

C. 수출업자와 직접 도급계약에 의하여 수출재화를 임가공하는 수출재화임가공용역

D. 내국신용장 또는 구매확인서에 의하여 공급하는 수출재화임가공용역

E. 우리나라에 상주하는 국제연합군 또는 미합중국군대에 공급하는 재화 또는 용역

2) 면세

특정한 재화 또는 용역의 공급 및 재화의 수입에 대하여 해당 공급자나 수입자에게 부가가치세의 납세의무 자체가 면제되는 것을 말한다.

구분	영세율	면세
A. 기본취지	소비지국 과세원칙	세부담의 역진성 완화
B. 적용대상	수출하는 재화 등 특정한 거래	기초생활 필수재화, 용역 등 특정한 재화, 용역
C. 면세정도	완전면세제도	부분면세제도
D. 과세표준 및 매출세액	과세표준에는 포함되나, 영의 세율이 적용되므로 거래징수할 세액은 없음	납세의무가 없으므로 과세표준에 포함하지 않고, 거래징수할 세액도 없음
E. 매입세액	매입세액이 전액 환급되어 세부담이 최종소비자에게 전가되지 않음	매입세액이 공제되지 아니하므로 재화의 공급가액에 포함되어 최종소비자에게 전가됨
F. 사업자여부	부가가치세법상 사업자	사업자가 아님
G. 부가가치세법상 의무	부가가치세법상 사업자로서 제반의무 이행해야 함	사업자가 아니므로 제반의무를 이행할 필요는 없으나, 매입처별 합계표 제출의무와 대리납부의무가 있음

(1) 면세대상 재화 및 용역의 공급

부가가치세가 면세되는 재화 및 용역은 부가가치세법과 조세특례제한법이 각각 규정하고 있다.

① 미가공식료품 등

구분	하위구분	내용
미가공 식료품	미가공식료품 (외국산 포함)	곡류, 채소류, 농수산물 또는 임산물로서 가공되지 아니하거나 원생산물 본래의 성질이 변하지 아니하는 정도의 1차 가공을 거쳐 식용으로 제공하는 것
	단순가공 식료품 등	A. 단순가공식료품 B. 미가공식료품을 단순히 혼합한 것 C. 본래의 성질이 변하지 아니하는 정도로 1차 가공을 하는 과정에서 필수적으로 발생하는 부산물
비식용 농, 축, 수산물	비식용 농, 축, 수산물	우리나라에서 생산되어 식용으로 제공되지 아니하는 농산물, 축산물, 수산물과 임산물 (외국산은 과세)

② 기초생활필수 재화 및 용역

A. 수도물(생수 등은 제외)

B. 여성용 생리처리 위생용품

C. 영유아용 기저귀와 분유로서 액상형태의 분유: 2020년 12월 31일까지

D. 연탄과 무연탄(유연탄, 갈탄 등은 제외)

E. 여객운송용역. 단, 항공기, 택시, 고속철도 등의 고급운송수단에 의한 운송용역은 제외한다.

③ 국민후생관련 재화 및 용역

A. 의료보건용역 등

구분	내용
의사제공 용역	의사, 치과의사, 한의사, 조산사 또는 간호사가 제공하는 용역. 단, 요양급여의 대상에서 제외되는 성형수술 등[1]의 진료용역은 부가가치세가 과세된다.
약사제공 용역	약사가 제공하는 의약품 조제용역
수의사제공 용역	동물의 진료용역은 가축, 기르는 어업육성법에 따른 수산동물, 장애인 보조견 표지를 받은 보조견 및 기초생활수급자가 기르는 동물의 진료용역
기타 의료보건용역	A. 접골사, 침사 또는 안마사의 제공 용역 B. 장의업자가 제공하는 장의용역 C. 소독업의 신고를 한 자가 공급하는 소독용역 D. 사회적기업이 직접 제공하는 간병, 산후조리, 보육용역

B. 교육용역

주무관청의 허가 또는 인가를 받거나 주무관청에 등록 또는 신고된 학교, 학원, 강습소 그 밖의 비영리단체나 청소년수련시설 등에서 학생, 수강생 또는 청강생에게 지식 및 기술 등을 가르치는 것을 말한다.

단, 무도학원 또는 자동차운전학원은 제외

C. 주택과 그 부수토지의 임대용역

다음의 a, b 중 넓은 면적을 초과하지 아니한 임대를 말하며, 이를 초과한 부분은 토지의 임대로 보아 과세한다.

---

1. 면세대상에서 제외되는 성형수술 등의 진료는 다음과 같다.

   1) 성형수술: 쌍커풀수술, 코성형수술, 유방확대/축소술(유방암 수술에 따른 재건술은 제외), 지방흡인술, 주름살제거술, 안면윤곽술, 치아성형(미백, 라미네이트, 잇몸성형술). 단, 후유증 치료, 선천성 기형의 재건수술, 종양제거에 따른 재건수술은 제외함

   2) 악안면 교정술. 단, 치아교정치료가 선행되는 교정술은 제외함

   3) 피부관련 시술: 색소모반, 주근깨, 흑색점, 기미치료술, 여드름치료술, 제모술, 탈모치료술, 모발이식술, 문신(제거)술, 피어싱, 지방융해술, 피부재생술, 피부미백술, 항노화치료술 및 모공축소술

a. 주택의 연면적(지하층, 주차용, 주민공동시설 면적은 제외)

b. 건물이 장착된 면적의 5배(도시지역 밖의 토지는 10배)

D. 공동주택 관리규약에 따라 공동주택 관리주체 또는 입주자대표회의가 제공하는 공동주택 어린이집의 임대용역

E. 우표(수집용 우표를 제외), 인지, 증지, 복권과 공중전화

F. 제조담배로서 다음 중 하나에 해당하는 것

a. 판매가격이 200원 이하인 것

b. 특수제조용 담배 중 영세율이 적용되는 것을 제외한 것

④ 문화관련 재화 및 용역

A. 도서, 신문 및 인터넷신문, 잡지, 뉴스통신진흥에 관한 법률의 규정에 의한 뉴스통신. 단, 광고는 제외

B. 도서대여용역

C. 예술창작품. 단, 골동품은 제외

D. 예술행사

E. 문화행사

F. 아마추어 운동경기

G. 도서관, 과학관, 박물관, 미술관, 동물원 또는 식물원에의 입장

⑤ 생산요소

A. 토지(토/사/석의 매매 및 토지의 임대는 과세)

B. 개인이 물적시설 없이 근로자를 고용하지 아니하고 독립된 자격으로 용역을 공급하고 대가를 받는 인적용역[2]

C. 금융 및 보험용역

⑥ 기타의 재화 및 용역

A. 종교, 자선, 학술, 기타 공익을 목적으로 하는 단체가 공급하는 재화 또는 용역

B. 국가 및 지방자치단체, 지방자치단체조합이 공급하는 재화 또는 용역

C. 국가 및 지방자치단체, 지방자치단체조합 또는 공익단체에 무상으로 공급하는 재화 또는 용역. 단, 유상공급은 과세임.

(2) 재화의 수입에 대한 면세

가공되지 아니한 식료품, 도서 및 신문, 잡지, 거주자가 받는 소액물품으로서 관세가 면제되는 재화, 여행자의 휴대품으로서 관세가 면제되거나 간이세율이 적용되는 재화 등 법령에서 정하는 재화의 수입에 대하여 부가가치세가 면세된다.

(3) 면세의 포기

① 적용대상

영세율 적용 대상인 재화, 용역과 학술연구단체 및 기술연구단체가 학술연구나 기술연구와 관련하여 공급하는 재화, 용역에 한하여 허용하고 있다.

그러나 면세재화, 용역을 국내공급과 수출을 같이 하는 경우에는 영세율 적용받는 부분인 수출 등에 대하여 면세포기를 할 수 있다.

---

2. 개인이 물적시설없이 근로자를 고용하지 아니하고 독립된 자격으로 용역을 공급하고 대가를 받는 인적용역에는 다음과 같은 것들이 포함된다.

  1) 작곡, 무용, 배우, 가수, 연예에 관한 감독, 직업운동가, 보험모집인, 방문판매원 또는 이와 유사한 용역

  2) 고용관계 없는 사람이 다수인에게 강연을 하고 강연료, 강사료 등의 대가를 받는 용역 등을 제공하고 사례금 또는 이와 유사한 성질의 대가를 받는 용역

  3) 개인이 일의 성과에 따라 수당이나 이와 유사한 성질의 대가를 받는 용역

② 절차

면세를 포기하고자 하는 사업자는 관할세무서장에게 면세포기신고서를 제출하고 지체없이 사업자등록을 하여야 한다. 이때 시기의 제한은 없으며, 신규로 사업을 개시하는 경우에는 면세포기신고서를 사업자등록신청서와 함께 제출할 수 있다.

③ 효력

면세포기신고를 한 사업자는 신고한 날로부터 3년간 다시 면세를 적용받을 수 없다. 기한이 종료하여 다시 면세를 적용받고자 하는 때에는 면세적용신고서와 함께 발급받은 사업자등록증을 제출하여야 한다.

01 다음 중 부가가치세법상 영세율에 대한 설명 중 옳지 <u>않은</u> 것은?

① 영세율을 적용받는 경우에도 부가가치세법상 사업자로서 제반의무를 이행하여야 한다.

② 간이과세자도 영세율을 적용받을 수 있으며, 부가가치세 환급도 받을 수 있다.

③ 재화를 수출하는 경우 해당 재화의 공급에 대해서는 영세율을 적용한다.

④ 대가를 받지 않고 국외사업자에게 견본품을 증정하는 것은 영세율이 적용되지 않는다.

정답 **2**

간이과세자는 영세율의 적용은 받을 수 있으나, 환급은 적용대상이 아니다.

02 영세율제도에 대한 설명으로 옳은 것은?

① 영세율을 적용받는 사업자는 부가가치세법상 납세의무가 없기 때문에 장부를 기장할 의무가 없다.

② 수출업자와 직접 도급계약에 의해 수출재화를 임가공하고 그 대가로 원화를 받는 경우, 그 대가에 대하여는 영세율 적용이 배제된다.

③ 영세율사업자는 과세표준 신고의무가 없다.

④ 사업자가 영세율의 적용대상이 되는 재화의 공급가액에 대한 신고를 누락한 경우라도 영세율의 적용이 배제되는 것은 아니다.

정답 **4**

① 영세율 적용사업자도 부가가치세법상 일반과세자로서 부가가치세에 의한 납세의무를 지게된다.

② 수출업자와 직접 도급계약에 의해 수출재화를 임가공하고 원화를 대가로 수령하는 경우에는 영세율을 적용한다.

③ 영세율 사업자도 일반과세자로서 부가가치세 과세표준 신고의무를 진다.

03 다음 중 영세율거래에 해당하지 <u>않는</u> 것은?

① 내국신용장에 의해 부품을 수출업자에게 공급하는 거래
② 수출업자와 직접도급계약에 의하여 수출재화를 임가공하는 용역을 공급하고 부가가치세를 별도로 적은 세금계산서를 발급한 경우
③ 도급계약에 의해 국외에서 건설용역을 제공하는 거래
④ 주한 미국대사관에 에어컨을 공급 및 설치하고 그 대가를 원화로 수령하는 경우

정답 2

수출업자와 직접도급계약에 의하여 수출재화를 임가공하는 용역을 공급하고 부가가치세를 별도로 적은 세금계산서를 발급한 경우에는 영세율이 아닌 일반세율인 10%를 적용한다.

04 부가가치세법상 면세제도에 대한 설명으로 옳지 <u>않은</u> 것은?

① 영세율과 달리 매입세액이 공제되지 않으며, 부가가치세법상 사업자가 아니다.
② 면세사업자도 부가가치세가 과세되는 재화를 공급받는 때에는 그에 대한 부가가치세를 부담하여야 한다.
③ 면세의 포기를 신청한 사업자는 신고한 날부터 3년간 부가가치세를 면제받지 못한다.
④ 국가나 지방자치단체에 유상 또는 무상으로 공급하는 용역에 대해서는 부가가치세를 면제한다.

정답 4

국가 또는 지방자치단체 등에 무상으로 공급하는 재화 또는 용역에 대해서는 부가가치세가 면제되지만, 유상으로 공급하는 경우에는 면제되지 아니한다.

05 부가가치세법상 면세에 대한 설명으로 옳지 않은 것은?

① 영유아용 기저귀는 면세재화이다.
② 편의점에서 규격단위로 포장하여 판매하는 김치는 과세재화이다.
③ 외국에서 수입하여 판매하는 관상용 열대어는 면세재화이다.
④ 우체국이 제공하는 택배용역은 과세재화이다.

> 정답 3

수입한 비식용 수산물에 대해서는 면세가 아닌 일반과세를 적용한다.

06 부가가치세법상 면세의 포기에 대한 내용으로 옳지 않은 것은?

① 면세포기신고서는 관할세무서장의 승인을 요하지 않는다.
② 신규로 사업을 개시하는 경우에는 1과세기간이 경과한 후에 면세포기를 신청할 수 있다.
③ 면세포기를 한 사업자는 신고한 날부터 3년간 다시 면세를 적용 받을 수 없다.
④ 영세율 적용 대상인 재화 및 용역과 학술연구와 관련하여 공급하는 재화나 용역에 한하여 면세포기를 허용하고 있다.

> 정답 2

신규로 사업을 개시하는 경우에는 면세포기신고서를 사업자등록신청서와 함께 제출할 수 있다.

4. 과세표준과 세액의 계산

1) 과세표준

부가가치세 세액산출의 기초가 되는 과세대상의 수량 또는 가액을 과세표준이라 한다. 일반과세자는 전단계세액공제법에 따라 매출세액에서 매입세액을 차감한 금액을 납부세액으로 하며, 매출세액을 초과하는 부분은 환급세액이라 한다.

과세표준은 공급가액으로 나타내기도 하며, 매출액을 말한다. 공급가액에 부가 가치세액을 합한 금액을 공급대가라고 한다.

구분		과세표준	세율	세액
과세	세금계산서발급분	100,000	10%	10,000
	매입자발행세금계산서	10,000	10%	1,000
	신용카드·현금영수증 발행분	1,000	10%	100
	기타(정규영수증 외 매출분)	500	10%	50
영세율	세금계산서발급분	4,000	0%	0
	기타	3,000	0%	0
예정신고 누락분		5,000		500
대손세액 가감				200
합계				11,850

(1) 과세표준의 일반원칙

① 재화와 용역의 공급[3]

해당 과세기간에 공급한 재화 또는 용역의 공급가액을 합한 금액을 말한다.

---

3. 사업자가 특수관계에 있는 자에게 재화나 용역을 공급하고 부당하게 낮은 대가를 받거나 대가를 받지 아니 하는 경우에는 다음의 금액을 과세표준으로 한다.

구분		저가공급	무상공급
재화의 공급		공급한 재화의 시가	공급한 재화의 시가
용역의 공급	사업용 부동산 임대	공급한 용역의 시가	공급한 용역의 시가
	기타	공급한 용역의 시가	과세대상 아님

A. 대가를 금전으로 받는 경우: 그 대가

B. 금전 외의 대가를 받은 경우: 공급한 재화나 용역의 시가

C. 폐업 시 잔존재화: 잔존재화의 시가

② 과세표준에 포함되는 항목과 제외되는 항목

구분	내용
포함금액	A. 할부판매 또는 장기할부판매의 경우 이자상당액 B. 대가의 일부로 받은 운송비, 포장비, 하역비 등 C. 현물로 받는 경우: 공급한 재화 또는 용역의 시가 D. 개별소비세, 교통세, 주세, 교육세 및 농어촌특별세
미포함금액	A. 부가가치세 B. 매출에누리와 매출환입액, 매출할인액 C. 공급받는 자에게 도달하기 전에 파손, 멸실, 훼손된 재화의 가액 D. 재화 또는 용역의 공급과 직접 관련없는 국고보조금 등 E. 반환조건부 용기대금 및 포장비용 F. 계약 등에 의하여 확정된 대가의 지연지급으로 수령하는 연체이자(할부이자는 과세표준에 포함)
미공제금액	A. 대손금 B. 판매장려금 　판매장려금을 현물로 지급하는 경우에는 사업상증여로 보아 해당 재화의 시가를 별도로 과세표준에 산입 C. 하자보증금 　완성도기준지급 또는 중간지급조건부로 재화 또는 용역을 공급하고 계약에 따라 대가의 각 부분을 받을 때 일정금액을 하자보증을 위하여 공급받는 자에게 보관시키는 하자보증금은 과세표준에서 공제하지 않음

③ 거래유형별 과세표준

A. 외상판매 및 할부판매의 경우: 공급한 재화의 총가액

B. 장기할부판매, 완성도기준지급 및 중간지급조건부의 경우: 계약에 따라 받기로 한 대가의 각 부분

C. 직매장 등에의 재화 반출을 재화의 공급으로 보는 경우: 취득가액

D. 재화를 수입하는 경우: 관세의 과세가격 + 관세 + 개별소비세 + 교통. 에너지,

환경세 + 교육세, 농어촌특별세

E. 마일리지 등으로 결제 받은 경우

구분	내용
과세표준 포함 여부	A. 자기적립 마일리지 등 → 과세표준에 포함하지 않음 B. 제3자 적립 마일리지 등 → 사업자가 실제 받을 대가(마일리지 등으로 결제 받은 부분에 대해 보전받을 금액)만큼 과세표준에 포함
마일리지 등으로 결제받은 경우	마일리지 등으로 대금의 전부 또는 일부를 결제받은 경우의 과세표준 = a + b a. 마일리지 등 외의 수단으로 결제한 금액 b. 제3자 적립 마일리지 등으로 결제받은 부분에 대하여 재화 또는 용역을 공급받는 자 외의 자로부터 보전받았거나 보전받을 금액
제3자 적립마일리지 등으로 결제받은 경우로서 보전금액이 없는 경우 등	제3자 적립 마일리지 등으로 대금의 전부 또는 일부를 결제받은 경우로서 다음의 어느 하나에 해당하는 경우의 과세표준 = 공급한 재화의 시가 a. 보전받지 아니하고 자기생산, 취득재화를 공급한 경우 b. 특수관계인으로부터 부당하게 낮은 금액을 보전받거나 아무런 금액을 받지 아니하여 조세의 부담을 부당하게 감소시킬 것으로 인정되는 경우

④ 외화의 환산

외국통화로 대가를 받는 경우	과세표준(공급가액)
A. 공급시기 도래전에 환가한 경우	그 환가한 금액
B. 공급시기 이후에 외국통화나 그 밖의 외국환 상태로 보유하거나 지급받는 경우	공급시기의 기준환율 또는 재정환율로 환산한 금액

(2) 간주공급에 대한 과세표준

① 감가상각자산이 아닌 경우

구분	과세표준
A. 자가공급, 개인적공급, 사업상증여, 폐업 시 잔존재화	자산의 시가
B. 자가공급 중 판매목적 타사업장 반출	
a. 원칙	취득가액
b. 취득가액에 일정액을 더하여 공급하는 경우	취득가액 + α

② 감가상각자산의 경우

구분	과세표준
건물, 구축물	취득가액[A] × (1−5% × 경과된 과세기간 수[B])
기타	취득가액[A] × (1−25% × 경과된 과세기간 수[B])

A. 취득가액은 매입세액을 공제받은 해당 재화의 가액으로 함.

B. 과세기간의 개시일 후에 해당 자산을 취득하거나 당해 재화가 공급된 것으로
보는 경우에는, 과세기간의 개시일에 취득하거나 공급된 것으로 함. 또한, 건
물 및 구축물의 경과된 과세기간의 수가 20을 초과하는 때에는 20으로, 기타
자산의 경과된 과세기간 수가 4를 초과하는 때에는 4로 함.

③ 면세사업에 일부 전용한 경우

구분	과세표준
계산식	취득가액 × (1−감가율 × 경과된 과세기간 수) × 면세공급가액비율
유의사항	A. 면세비율은 일부 전용한 날이 속하는 과세기간의 공급가액을 기준으로 계산한다. B. 면세비율이 5% 미만인 경우, 과세표준이 없는 것으로 본다.

∴ 경과된 과세기간의 수의 계산 (기초취득 / 기초공급 간주)

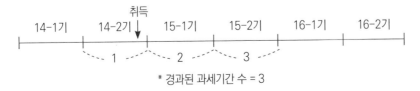

* 경과된 과세기간 수 = 3

(3) 과세표준 계산의 특례

① 토지와 건물을 함께 공급하는 경우

과세표준은 실지거래가액에 의한다. 단, 가액의 구분이 불분명한 경우 및 실지거래가액과 법정산식에 의해 계산한 금액과의 차이가 30% 이상 차이가 있는 경우에는 법정산식에 의해 안분계산한 금액을 공급가액으로 한다.

구분		내용
감정평가금액이 있는 경우		감정평가금액에 비례하여 안분계산
감정평가 금액이 없는 경우	기준시가가 있는 경우	공급계약일 현재의 기준시가에 비례하여 안분계산
	기준시가가 일부 없는 경우	• 1차안분: 장부가액에 비례하여 안분계산 • 2차안분: 1차안분 적용 후 기준시가가 있는 자산만 기준시가로 안분계산
위 규정을 적용할 수 없는 경우		국세청장이 정하는 바에 따라 안분계산

*감정평가금액의 인정범위

감정가액 인정

(*)CASE STUDY

과세사업자 A씨는 과세사업에 사용하던 기계, 건물과 토지를 양도하였다. 가액은 다음과 같다.

	감정가액	기준시가	장부가액
기계	-	-	80
건물	-	300	160
토지	-	200	160
		500	400

건물, 토지의 일괄양도가액이 534(VAT 포함)이고, 기계, 건물, 토지의 실지공급가액이 구분되지 않는 경우

A. 1차 안분(장부가액)

양도가액 × 기계의 장부가액/기계, 건물, 토지의 장부가액+부가가치세 = 534 × 80/424 = 100(기계의 과세표준)

B. 2차 안분 (기분시간)

양도가액 × 건물의 기준시가/기계, 건물, 토지의 기준시가+부가가치세 = 424 × 530/300 = 240(건물의 과세표준)

② 부동산 임대용역의 경우

부동산 임대용역의 과세표준은 다음과 같이 계산한다.

과세표준 = 임대료 + 간주임대료 + 관리비

A. 임대료

해당 과세기간에 수령하는 임대료는 과세표준에 포함한다. 단, 둘 이상의 과세기간에 걸쳐 임대용역을 공급하고 그 대가를 선불 또는 후불로 받는 경우에는 해당금액을 계약기간의 월수로 나눈 금액의 각 과세대상 기간의 합계액을 과세표준으로 한다.

B. 간주임대료

임대보증금(전세금) × 정기예금이자율 × 일수 ÷ 365(윤년은 366)

C. 관리비

관리비를 영수하는 경우는 과세표준에 포함한다. 단, 임차인이 부담할 공공요금을 임대료와 구분징수하여 납입만을 대행하는 경우에는 과세표준에 포함하지 않는다.

2) 대손세액공제

부가가치세가 과세되는 재화 또는 용역을 공급하고 외상매출금의 전부 또는 일부가 공급을 받은 자의 파산, 강제집행이나 그 밖의 법령으로 정하는 사유로 대손되어 회수할 수 없는 경우에는 대손세액을 대손이 확정된 날이 속하는 과세기간의 매출세액에서 뺄 수 있다.

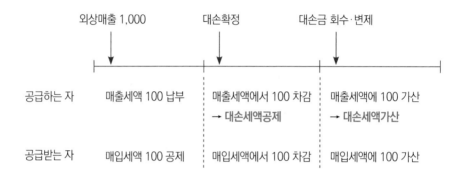

(1) 대손사유
① 파산, 강제집행 등 소득세법 및 법인세법에서 대손금으로 인정되는 경우
② 채무자 회생 및 파산에 관한 법률에 따른 법원의 회생계획인가의 결정에 따라 채무를 출자전환하는 경우

(2) 대손의 확정기한
부가가치세가 과세되는 재화 또는 용역을 공급한 후 그 공급일부터 5년이 지난 날이 속하는 과세기간에 대한 확정신고 기한까지 대손사유가 확정되어야 한다.

(3) 대손세액의 계산 및 신고
대손세액 = 대손금액(부가가치세 포함)× 10 ÷ 110

대손세액공제는 과세표준확정신고와 함께 대손을 증명하는 서류를 첨부하여 제출한 경우에 적용한다(예정신고기간에는 불가).

3) 매입세액

(1) 세금계산서 수취분 매입세액

자기의 사업을 위하여 사용하였거나 사용할 목적으로 재화 또는 용역을 공급받거나 재화를 수입하면서 세금계산서를 발급받은 경우에는 세금계산서에 의해 확인되는 매입세액을 매출세액에서 공제한다.

매입세액은 재화나 용역을 공급받는 시기 또는 재화의 수입시기가 속하는 예정신고기간 또는 과세기간의 매출세액에서 공제한다.

(2) 신용카드매출전표 등 수취분 매입세액

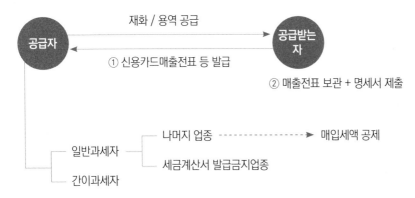

소매업, 음식점업 등 영수증 발급대상 업종을 경영하는 일반과세자로부터 재화 또는 용역을 공급받고 부가가치세액이 별도로 구분되는 신용카드매출전표, 현금영수증 등을 발급받은 경우 해당 부가가치세액은 공제할 수 있는 매입세액으로 본다.

(3) 매입자발행세금계산서

재화나 용역을 공급받은 자는 공급자로부터 세금계산서를 발급받지 아니하면 매입세액을 공제받을 수 없어 불이익을 당하게 된다. 이렇게 공급자가 세금계산서를 발급하지 아니한 경우, 공급받는 자가 관할세무서장의 확인을 받아 발행 받아 매입세액을 공제할 수 있는 세금계산서를 말한다. 이때 매입자발행세금계산서를 발행하려는 자는 재화나 용역의 공급시기가 속하는 과세기간의 종료일부터 6개월 이내에 거래사실을 입증할 수 있는 서류를 첨부하여 관할세무서장에게 신청하여야 한다.

매입자발행세금계산서는 세금계산서 발급의무가 있는 사업자가 거래건당 공급대가가 10만원 이상인 재화 또는 용역을 공급하고 세금계산서 발급 시기에 발급하지 아니한 경우, 예정신고 및 확정신고 또는 경정청구 시 매입자발행세금계산서 합계표를 제출하고 합계표에 기재된 매입세액을 해당하는 과세기간의 매출세액 또는 납부세액에서 공제받을 수 있다.

(4) 의제매입세액

사업자가 면세로 공급받거나 수입한 농산물 등을 원재료로 하여 제조 및 가공한 재화 또는 창출한 용역의 공급에 대하여 부가가치세가 과세되는 경우, 공급받은 면세재화의 매입가액에 공제율을 곱하여 계산한 금액을 매입세액으로 공제하는 것을 의제매입세액공제라고 한다.

① 적용요건
A. 과세사업자: 미등록사업자와 면세사업자는 제외
B. 농산물 등을 면세로 공급받은 경우
C. 제조 및 가공한 재화 또는 창출한 용역이 과세대상일 것
D. 공제서류를 제출할 것

② 계산방법
의제매입세액 = 면세농산물 등의 매입가액[A] × 공제율[B]

A. 국내매입분은 운임 등의 부대비용을 제외한 매입원가로 하며, 수입분은 관세의 과세가격으로 한다.
B. 공제율은 업종별로 다음과 같이 적용한다.

업종		법인사업자	개인사업자
음식점업	과세유흥장소	2/102	2/102
	그 외	6/106	8/108[3]
제조업	최종소비자 대상	2/102 (중소기업 4/104)	6/106
	기타 업종	2/102 (중소기업 4/104)	4/104
기타업종		2/102	2/102

③ 의제매입세액공제의 한도

구분	과세표준	공제한도	
		음식점업[4]	기타
법인사업자	–	40%	40%
개인사업자	1억원 이하	65%	55%
	2억원 이하	60%	
	2억원 초과	50%	45%

(5) 매입세액불공제

① 매입처별 세금계산서합계표 미제출 및 부실기재
② 세금계산서 미수취 또는 필요적 기재사항 불분명분
③ 사업과 직접 관련 없는 지출에 대한 매입세액
A. 법인세법 및 소득세법의 업무무관비용
B. 공동경비 중 기준에 의한 분담금액을 초과하는 금액으로서 법인세법상 손금불산입되는 금액
④ 비영업용 소형승용차의 구입 및 임차와 유지에 관한 매입세액
⑤ 접대비 지출 관련 매입세액

---

3. 과세표준 2억원 이하인 경우에는 2021년 12월 31일까지 9/109로 한다.
4. 음식점업을 영위하는 개인사업자는 특례로 2021년 12월 31일까지 한도를 따로 적용한다.

⑥ 부가가치세가 면제되는 재화 또는 용역의 공급에 관한 매입세액

⑦ 토지 관련 매입세액

A. 토지의 취득 및 형질변경, 공장부지 및 택지의 조성 등에 관한 매입세액

B. 건축물이 있는 토지를 취득하여 그 건축물을 철거하고 토지만 사용하는 경우에는 철거한 건축물의 취득 및 철거 비용에 관한 매입세액

C. 토지의 가치를 현실적으로 증가시켜 토지의 취득원가를 구성하는 비용에 관한 매입세액

⑧ 사업자등록을 신청하기 전의 매입세액

신규로 사업을 개시한 자가 사업자등록을 신청하기 전의 매입세액은 공제되지 아니한다. 단, 공급시기가 속하는 과세기간이 끝난 후 20일 이내에 등록을 신청한 경우, 등록신청일부터 공급시기가 속하는 과세기간의 기산일까지 역산한 기간 내의 것은 공제가능함.

5. 세금계산서 외 증빙서류

구분			거래증명
과세사업자	일반과세자	일반적인 경우	세금계산서
		소매업 등 영수증 발급대상자	영수증
	간이과세자		영수증
면세사업자	일반적인 경우		계산서
	소매업 등 영수증 발급대상자		영수증
세관장	과세재화의 경우		세금계산서
	면세재화의 경우		계산서

1) 세금계산서

과세사업자가 거래상대방으로부터 부가가치세를 징수하고, 그 사실을 증명하기 위해 발급하는 계산서를 세금계산서라고 한다. 면세사업자는 부가가치세법상 납세의무자가 아니기 때문에 세금계산서를 발급할 수 없으며, 계산서를 발급하여야 한다. 그러나 소매업 등 최종소비자와 거래하는 영수증 발급 대상자는 영수증을 발급할 수 있으며, 간이과세자 중 신규사업자 및 직전연도 공급대가 합계액이 4,800만원 미만인 사업자는 영수증을 발급하여야 한다.

(1) 전자세금계산서

법인사업자와 전자세금계산서 의무발급 개인사업자 는 전자세금계산서를 발급하여야 한다. 이때, 관할세무서장은 개인사업자가 의무발급 대상자에 해당하는 경우에는 전자세금계산서를 발급하여야 하는 기간이 시작되기 1개월 전까지 해당 개인사업자에게 통지하여야 한다.

(2) 기재사항

필요적 기재사항	임의적 기재사항
A. 공급하는 사업자등록번호와 명칭 B. 공급받는 자의 등록번호 C. 공급가액과 부가가치세액 D작성연월일	A. 공급하는 자의 주소 B. 공급받는 자의 명칭 및 주소 C. 업태와 종목 D. 공급품목, 단가, 수량, 공급연월일 E. 거래의 종류 F. 사업자단위과세사업자의 경우 실제로 재화 및 용역을 공급하는 종된 사업장소재지 및 상호

필요적 기재사항은 전부 또는 일부가 기재되지 아니하거나 사실과 다른 때에는 정당한 세금계산서로 보지 않는다. 또한 발급한 사업자에게는 가산세를 적용하며, 발급받은 사업자에 대해서는 매입세액이 불공제되는 불이익이 있다.

(3) 발급시기

① 원칙: 재화 또는 용역의 공급시기에 교부하여야 한다.

② 특례: 사업자의 편의를 위하여 다음의 경우에는 재화 또는 용역의 공급일이 속하는 달의 다음달 10일까지 교부할 수 있다.

A. 거래처별로 1역월의 공급가액을 합하여 해당 달의 말일을 작성연월일로 하여 교부하는 경우

B. 거래처별로 1역월 이내에서 사업자가 임의로 정한 기간의 공급가액을 합하여 그 기간의 종료일을 작성연월일로 하여 교부하는 경우

C. 관계 증명서류 등에 따라 실제거래사실이 확인되는 경우로서 해당 거래일을 작성연월일로 하여 교부하는 경우

(4) 수정세금계산서

세금계산서의 기재사항을 착오로 잘못 적거나 교부한 후 그 기재사항에 관하여 수정세금계산서 발급사유가 발생하면 수정세금계산서를 교부할 수 있다.

① 재화의 환입: 환입된 날을 작성일로 하고 비고란에 최초 세금계산서 작성일을 기재한 후 붉은색 글씨로 쓰거나 음의 표시를 하여 발급

② 계약의 해제: 작성일을 계약해제일로 하고 비고란에 최초 세금계산서 작성일을 기재한 후 붉은색 글씨로 쓰거나 음의 표시를 하여 발급

③ 공급가액의 변동: 증감 사유가 발생한 날을 작성일로하고 추가되는 금액은 검은색, 차감되는 금액은 붉은색 또는 음의 표시를 하여 발급

④ 필요적 기재사항 등이 착오로 기재된 경우: 최초 발급한 내용은 붉은색 글씨로 쓰거나 음의 표시를 하여 발급하고, 수정하여 발급하는 세금계산서는 검은색 글씨로 작성하여 발급

⑤ 착오로 인한 이중발급: 당초 발급한 세금계산서의 내용대로 음의 표시를 하여 발급

2) 영수증

세금계산서의 필요적 기재사항 중에서 공급받는 자의 등록번호를 기재하지 않을 뿐만 아니라 원칙적으로 공급가액과 부가가치세액을 구분하지 않은 자료를 영수증이라 한다.

(1) 공급가액과 세액의 구분기재

원칙적으로 공급가액과 세액을 별도로 구분기재하지 않지만, 일반과세자 중 영수증 발급대상자가 카드 단말기 등 장치에 의하여 영수증을 발급하는 경우에는 영

수증에 공급가액과 세액을 별도로 구분하여 작성하여야 한다.

(2) 영수증 발급대상자

① 일반과세자 중 영수증 발급대상자: 간이과세자와 일반과세자 중 주로 사업자가 아닌 자에게 재화 또는 용역을 공급하는 사업자로서 다음의 사업을 하는 자를 말한다. 단, 공급받는 자가 사업자등록증을 제시하고 세금계산서의 발급을 요구하는 경우에는 세금계산서를 발급하여야 한다.

② 소매업, 음식점업, 숙박업

③ 미용, 욕탕 및 유사 서비스업

④ 여객운송업

⑤ 입장권을 발행하여 경영하는 사업

⑥ 부가가치세가 과세되는 성형수술 등 진료용역

⑦ 부가가치세가 과세되는 수의사가 제공하는 동물의 진료용역

⑧ 부가가치세가 과세되는 무도학원과 자동차운전학원

⑨ 간이과세가 배제되는 전문직서비스업 및 행정사업

⑩ 공인인증기관이 인증서를 발급하는 용역

⑪ 간이과세자 중 영수증 발급대상자: 간이과세자 중 아래 요건 중 하나에 해당하는 경우에는 세금계산서를 발급하는 대신 영수증을 발급하여야 한다.

A. 직전연도의 공급대가의 합계액이 4,800만원 미만인 자

B. 신규로 사업을 시작하는 개인사업자로서 간이과세자로 하는 최초의 과세기간 중에 있는 자

3) 세금계산서 및 영수증의 발급의무 면제

비거주자 또는 외국법인을 상대로 하는 거래 및 간주공급 등 다음의 항목에 대하여는 세금계산서나 영수증의 발급의무가 면제된다.

① 택시운송사업자, 노점 또는 행상을 하는 자가 공급하는 재화 또는 용역

② 무인자동판매기를 이용하여 공급하는 재화 또는 용역

③ 미용, 욕탕 및 유사서비스업을 영위하는 자가 공급하는 재화 또는 용역

④ 간주공급(판매목적의 타사업장 반출은 제외)

⑤ 영세율이 적용되는 재화 또는 용역 중 법에서 정하는 것

⑥ 부동산임대용역 중 간주임대료에 해당하는 부분

01 부가가치세법상 과세표준에 대한 설명으로 옳지 <u>않은</u> 것은?

① 재화 또는 용역을 공급하고 금전 외의 대가를 받는 경우에는 자기가 공급한 재화 또는 용역의 시가를 과세표준으로 한다.

② 대가의 지연으로 인해 지급받는 연체이자는 과세표준에 포함하지 않는다.

③ 재화의 수입에 대한 부가가치세의 과세표준은 관세의 과세가격으로 한다.

④ 현물로 지급한 판매장려금은 과세표준에서 차감하지 않는다.

정답 3

재화의 수입에 대한 과세표준은 아래와 같이 계산한다.
관세의 과세가격 + 관세 + 개별소비세, 주세, 교통에너지환경세, 교육세, 농어촌특별세

02 다음 중 과세표준에 대한 설명 중 옳은 것을 고르시오.

　　가. 대손금은 과세표준에서 공제하지 않는다.
　　나. 부가가치세는 과세표준에 포함되지 않는다.
　　다. 공급에 대한 대가를 조기수령한 이유로 할인해 준 매출할인액은 과세표준에 포함한다.
　　라. 환입된 재화의 가액인 매출환입액은 과세표준에서 차감하지 않는다.
　　마. 대가의 일부로 수령하는 운송비 또는 포장비는 과세표준에 포함한다.

① 가　　　② 가, 다　　　③ 다, 마　　　④ 가, 나, 마

정답 4

다. 공급에 대한 대가를 약정기일 전에 받았다는 이유로 사업자가 당초의 공급가액에서 할인해 준 금액은 과세표준에 포함하지 아니한다.
라. 환입된 재화의 가액은 과세표준에서 차감한다.

03 다음 자료를 바탕으로 부가가치세 과세표준을 계산하시오.

> 1. 2020년 1월 1일부터 6월 30일까지 총매출액은 3,000만원이다.
>   (1) 총매출액 중 100만원은 할부매출에 대한 이자상당액이다.
>   (2) 외상매출금을 조기 회수함에 따른 할인액 200만원이 매출액에 포함되어 있다.
>   (3) 거래처에서 받은 판매장려금 30만원이 매출액에 포함되어 있다.
>   (4) 매출액 중 50만원은 거래처가 파산하여 회수하지 못하였다.
>
> 2. 지방자치단체에 상품을 무상으로 기증하고, 기부금으로 처리하였다.
>   (원가 300만원 / 시가 500만원)

① 26,200,000원   ② 27,700,000원   ③ 28,500,000원   ④ 32,700,000원

정답 **2**

매출액: 3,000만원 − 200만원(매출할인액) − 30만원(판매장려금) = 2,770만원

---

04 부가가치세법상 과세표준에 대한 설명 중 옳지 <u>않은</u> 것은?

① 사업자가 직접 적립하는 마일리지로 결제받은 금액은 과세표준에 포함하지 않는다.

② 통신사 등 제3자 적립 마일리지로 결제받은 금액은 실제 결제금액 중 마일리지 부분을 차감한 실제 사업자가 수령하는 대가를 과세표준으로 한다.

③ 외화로 대가를 수령하는 경우 공급시기가 도래하기 전에 원화로 환가한 경우에는 환가한 금액을 과세표준으로 한다.

④ 대가를 금전 외의 것으로 수령하는 경우 공급받은 물건의 시가를 과세표준으로 한다.

정답 **4**

금전 외의 대가를 수령하는 경우의 공급가액은 공급한 재화나 용역의 시가를 과세표준으로 한다.

05 다음 중 부가가치세 과세표준에 관한 내용으로 틀린 것은?

① 용기를 반환할 것을 조건으로 그 용기대금을 공제한 금액으로 공급하는 경우에 용기대금은 과세표준에 포함하지 않는다.

② 특수관계법인에게 재화를 공급하고 부당하게 낮은 대가를 수령하는 경우에는 실제 공급한 재화의 시가를 과세표준으로 한다.

③ 사업자가 둘 이상의 과세기간에 걸쳐 부동산임대용역을 제공하고 그 대가를 선불로 받는 경우에는 해당 금액을 계약기간의 개월 수로 나눈 금액의 각 과세기간의 합계액을 과세표준으로 한다.

④ 대가를 외화로 받은 경우로서 공급시기 이전에 원화로 환가한 경우에는 공급시기의 기준환율 또는 재정환율로 계산한 금액을 과세표준으로 한다.

정답 **4**

공급시기 이전에 원화로 환가한 경우에는 그 환가한 금액을 과세표준으로 한다.

06 부가가치세 과세표준 계산에 대한 설명 중 옳지 않은 것은?

① 매입세액을 공제받지 않은 재화의 경우에도 간주공급에 대하여 과세표준을 계산한다.

② 사업자가 토지와 건물을 함께 공급하는 경우로서 실지거래가액을 알 수 없는 경우에는 기준시가에 의하여 안분계산한 금액을 과세표준으로 한다.

③ 간주공급대상 재화가 감가상각자산인 경우 가치감소율은 건물의 경우 5%를 적용한다.

④ 마일리지 등으로 대금을 결제받은 경우 과세표준은 마일리지 외의 수단으로 결제한 금액과 제3자 마일리지등으로서 보전받은 금액을 합한 금액으로 한다.

정답 **2**

법정방식에 의하여 안분계산한 금액을 공급가액으로 한다.
감정평가가액 → 기준시가 → 장부가액 → 국세청장이 정하는 바에 따라 안분계산

07 다음 중 대손세액공제에 대한 설명으로 틀린 것은?

① 간이과세자는 대손세액공제를 적용할 수 없다.

② 부가가치세 예정신고시에도 대손세액공제를 적용할 수 있다.

③ 부도발생일로부터 6개월 이상 지난 어음상의 채권은 대손사유를 충족한다.

④ 대손세액공제를 적용하기 위하여는 재화 또는 용역을 공급한 후 공급일부터 5년이 지나는 날이 속하는 과세기간에 대한 확정신고 기한까지 대손사유가 확정되어야 한다.

정답 2

대손세액공제는 확정신고시에만 적용할 수 있다.

---

08 다음 자료를 바탕으로 2020년 제1기 과세기간의 대손세액공제액을 계산하시오.

가. 2019년 10월 9일에 사업자에게 상품을 공급하고 그 대금 5,500,000원(VAT 포함)을 어음으로 받았으나, 해당 어음이 지급기일인 2020년 2월 8일에 부도가 발생했다.

나. 2014년 12월1일에 사업자에게 상품을 외상으로 판매하였으나 외상대금을 회수하지 못하였으며, 해당 외상대금(2,200,000원, VAT포함)은 2019년 4월 29일에 법원의 면책결정에 따라 회수불능으로 확정되었다.

① 0원   ② 200,000원   ③ 500,000원   ④ 700,000원

정답 1

가. 부도발생일로부터 6개월 이상 지난 어음은 대손사유를 충족한다. 2020년 1기에 대손세액을 공제하기 위해서는 확정신고기한인 2020년 7월 25일까지 대손사유가 확정되어야 하지만 부도발생일이 2월 8일이기 때문에 해당 어음은 8월 7일이 되어야 대손사유가 확정된다.

나 재화의 공급일부터 5년이 지난 날이 속하는 과세기간에 대한 확정신고기한까지 대손사유가 확정되어야 한다. 이 경우는 2019년 4월 19일에 대손사유가 확정되었으므로 대손세액을 공제할 수 없다.

09 다음 중 부가가치세법상 매입세액에 대한 내용으로 옳지 <u>않은</u> 것은?

① 예정신고기간에 공제받지 못하고 누락된 매입세액은 확정신고시 공제할 수 있다.

② 세금계산서를 발급받지 않은 경우에는 매입세액공제를 할 수 없다.

③ 매입세액은 재화 또는 용역을 공급받는 시기가 속하는 예정신고기간 또는 과세기간의 매출세액에서 공제한다.

④ 공급자가 세금계산서를 발급하지 아니하면 공급받는 자가 세금계산서의 발급을 요청할 수 있다.

정답 2

세금계산서가 아닌 이외의 법적증빙(신용카드발생전표, 지출증빙, 현금영수증 등)을 수취하는 경우에는 매입세액공제를 적용 받을 수 있다.

10 다음 중 매입세액에 대한 설명으로 <u>틀린</u> 것은?

① 의제매입세액은 면세농산물 등을 구입한 시점에 공제한다.

② 의제매입세액을 공제받은 후 거래처에 무상으로 지급하는 경우에는 재계산하여 납부세액에 가산 또는 환급세액에서 공제하여야 한다.

③ 면세사업자도 의제매입세액을 공제할 수 있다.

④ 소매업, 음식점업 등 영수증 발급대상 업종을 경영하는 일반과세자로부터 신용카드매출전표를 발급받은 경우에는 매입세액공제를 받을 수 있다.

정답 3

면세사업자는 부가가치세법상에 의한 의제매입세액공제를 적용할 수 없다.

11 부가가치세법상 의제매입세액공제에 관한 설명 중 틀린 것은?

① 외국으로부터 수입한 면세농산물 등도 의제매입세액공제의 대상이 된다.
② 면세농산물 등을 공급받은 날이 속하는 예정 또는 확정신고기간의 매출세액에서 공제한다.
③ 의제매입세액공제를 받은 면세농산물을 가공하지 않고 그대로 판매하는 경우에는 그 공급가액을 부가가치세의 과세표준에 가산한다.
④ 의제매입세액공제는 법인사업자도 적용할 수 있다.

정답 3

면세농산물 등을 그대로 양도 또는 인도하는 경우에는 의제매입세액을 재계산하여 공급가액에 가산하는 것이 아니라 납부세액에 가산하거나 환급세액에서 공제한다.

12 다음 자료를 바탕으로 2020년 제1기 과세기간에 공제받을 수 있는 의제매입세액을 계산하시오. 해당 기업은 볶음밥을 제조하는 중소기업으로 법인사업자이다.(원 미만은 절사한다.)

가. 2020년 상반기에 사업자로부터 쌀 200,000,000원을 구입하고 계산서를 발급받았으며, 이에 대한 운임 등 부대비용으로 8,000,000원을 지출하였다.
나. 2020년 제1기 과세기간 동안 구입한 쌀 중 50%만 제조에 투입되었다.
다. 2020년 제1기 과세기간 동안의 볶음밥 공급가액은 600,000,000원이다.

① 3,846,150원   ② 4,000,000원   ③ 7,692,300원   ④ 8,000,000원

정답 2

의제매입세액공제액: min[①,②]
① 공제액 = [(200,000,000 + 8,000,000) × 4/104] × 50% = 4,000,000원
② 한도액 = 600,000,000 × 35% × 4/104 = 8,076,920원

13 다음 중 매입세액에 대한 설명으로 옳지 <u>않은</u> 것은?

① 접대비 지출 관련 매입세액은 매출세액에서 공제하지 않는다.

② 비영업용 소형승용차의 유지에 관한 매입세액은 공제하지 않는다.

③ 건축물이 있는 토지를 취득하여 건축물은 철거하고 토지만을 사용하는 경우 건축물의 취득과 관련한 매입세액은 공제한다.

④ 면세사업자인 출판사가 책 제작을 위한 종이 구입에 관한 매입세액은 공제되지 않는다.

정답 3

건축물이 있는 토지를 취득하여 철거하는 경우에는 이를 토지의 취득원가로 보아 건축물의 취득과 관련한 매입세액은 공제하지 아니한다.

6. 겸영사업자의 세액계산 방법

1) 과세표준의 안분계산

(1) 공통사용재화를 공급하는 경우

과세사업과 면세사업을 같이 영위하는 사업자가 과세사업에 사용하던 재화를 공급하는 경우에는 부가가치세가 과세되며, 면세사업에 사용하던 재화를 공급하는 경우에는 부가가치세가 면세된다.

그러나 공통으로 사용하던 재화를 공급하는 경우에는 과세사업에 사용하던 부분의 비율[5] 만큼만 과세된다.

① 직전과세기간의 과세공급가액 비율에 의한 계산방식

$$\text{과세표준} = \text{해당 재화의 공급가액} \times \frac{\text{과세공급가액(직전과세기간)}}{\text{총 공급가액(직전과세기간)}}$$

② 공통매입세액을 사용면적비율로 안분계산한 경우

공통사용재화를 공급하는 경우 과거 구입할 때 공급가액비율이 아닌 사용면적비율을 이용하여 안분계산한 경우라면 아래와 같이 계산한다.

$$\text{과세표준} = \text{해당 재화의 공급가액} \times \frac{\text{과세사용면적(직전과세기간)}}{\text{총 사용면적(직전과세기간)}}$$

③ 안분계산의 생략

A. 직전과세기간의 총공급가액 중 면세공급가액 비율이 5% 미만인 경우
   단, 재화의 공급가액이 5천만원 이상인 경우는 제외한다.
B. 재화의 공급가액이 50만원 미만인 경우
C. 신규로 사업을 개시하여 직전과세기간이 없는 경우

---

5. 과세사업에 사용하던 부분의 비율은 직전과세기간의 과세공급가액 비율을 말한다.

(2) 과세사업에 사용하던 자산의 일부를 면세사업에 사용하는 경우

$$과세표준 = 취득가액 \times (1-가치감소율 \times 경과된\ 과세기간) \times \frac{면세공급가액}{총\ 공급가액}$$

※ 이때, 면세공급가액이 총 공급가액의 5% 미만인 경우에는 과세표준이 없는 것으로 본다.

2) 공통매입세액의 안분계산 등

(1) 면세재화의 과세전용

① 완전과세전용

구분	공제세액
건물 및 구축물	불공제매입세액 × (1-5% × 경과된 과세기간)
기타의 자산	불공제매입세액 × (1-25% × 경과된 과세기간)

② 일부과세전용

구분	공제세액
건물 및 구축물	불공제매입세액 × (1-5%×경과된 과세기간) × 과세공급가액/(총 공급가액)
기타의 자산	불공제매입세액 × (1-25% × 경과된 과세기간) × 과세공급가액/(총 공급가액)

※ 이때, 면세공급가액이 총 공급가액의 5% 미만인 경우에는 과세표준이 없는 것으로 본다.

③ 공급가액이 없는 경우

A. 안분계산

해당 과세기간 중 과세사업과 면세사업의 공급가액이 없거나 어느 한 사업의 공급가액이 없는 경우에는 다음의 순서에 따른다.

구분	공제세액
일반적인 경우	매입가액 → 예정공급가액 → 예정사용면적
건물의 취득	예정사용면적 → 매입가액 → 예정공급가액

B. 정산

위의 안분계산에 의해 계산한 매입세액을 공제한 경우에는 공급가액 또는 사용면적이 확정되는 과세기간에 정산한다.

구분	공제세액
매입가액 또는 예정공급가액 비율로 안분계산한 경우	과세사업과 면세사업의 공급가액이 확정되는 과세기간의 실제 공급가액비율로 정산함
예정사용면적비율로 안분계산한 경우	과세사업과 면세사업의 사용면적이 확정되는 과세기간의 실제 사용면적비율로 정산함

(2) 공통매입세액의 안분계산

과세사업과 면세사업을 겸영하는 경우 과세사업과 관련된 매입세액만 공제할 수 있다. 따라서 구분경리를 통하여 과세사업분과 면세사업분에 대한 매입세액을 구분하여야 한다. 그러나 공통으로 사용되어 실지귀속을 구분할 수 없는 매입세액이 있는 경우에는 기획재정부령으로 정하는 특별한 경우를 제외하고는 해당 과세기간의 총공급가액 중 면세공급가액의 비율에 따라 안분계산한다.

① 일반적인 경우

$$\text{불공제 매입세액} = \text{공통매입세액} \times \frac{\text{면세공급가액(해당과세기간)}}{\text{총 공급가액(해당과세기간)}}$$

② 해당 과세기간 중 공급가액이 없는 경우

구분	공제세액
일반적인 경우	매입가액 → 예정공급가액 → 예정사용면적
건물의 취득(신축)	예정사용면적 → 매입가액 → 예정공급가액

③ 공통매입세액의 정산

해당 과세기간 중 과세사업과 면세사업의 공급가액이 없거나 어느 한 사업의 공급가액이 없어 위에서 규정하고 있는 예외적인 방법에 의해 안분계산한 경우에는 공급가액 또는 사용면적이 확정되어 납부세액을 확정신고하는 때에 정산한다.

① 일반적인 경우

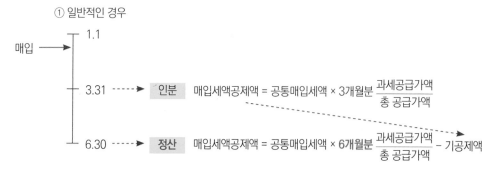

매입 →

1.1

3.31 ----▶ 인분 매입세액공제액 = 공통매입세액 × 3개월분 $\dfrac{\text{과세공급가액}}{\text{총 공급가액}}$

6.30 ----▶ 정산 매입세액공제액 = 공통매입세액 × 6개월분 $\dfrac{\text{과세공급가액}}{\text{총 공급가액}}$ - 기공제액

* 예정신고기간의 공급가액비율과 확정신고기간 공급가액비율 간의 차이가 5% 미만이어도 정산해야 함

② 공급가액이 없는 경우

매입 →

1기

공급가액 없는 경우 ----▶ 인분 매입세액공제액 = 공통매입세액 × $\dfrac{\text{과세 대체비율}}{\text{총 대체비율}}$

2기

대체비율 확정 시 ----▶ 정산 매입세액공제액 = 공통매입세액 × $\dfrac{\text{과세 확정비율}}{\text{총 확정비율}}$ - 기공제액

* 대체비율과 확정비율 간의 차이가 5% 미만이어도 정산해야 함

A. 매입가액 또는 예정공급가액비율로 안분계산한 경우

가산 또는 공제되는 세액

$$= \text{총공통매입세액} \times [1 - \dfrac{\text{면세공급가액(확정되는 과세기간)}}{\text{총 공급가액(확정되는 과세기간)}}] - \text{기공제세액}$$

B. 예정사용면적비율로 안분계산한 경우

가산 또는 공제되는 세액

$$= \text{총공통매입세액} \times [1 - \dfrac{\text{면세사용면적(확정되는 과세기간)}}{\text{총 사용면적(확정되는 과세기간)}}] - \text{기공제세액}$$

④ 해당 과세기간에 매입한 재화를 동일한 과세기간에 공급하는 경우

과세사업과 면세사업에 공통으로 사용하는 재화를 매입한 후 같은 과세기간에 해당 재화를 공급하는 경우에는 직전 과세기간의 공급가액비율에 따라 계산한다.

$$불공제\ 매입세액 = 공통매입세액 \times \frac{면세공급가액(직전과세기간)}{총\ 공급가액(직전과세기간)}$$

⑤ 공통매입세액 안분의 생략

A. 해당 과세기간의 총공급가액 중 면세공급가액이 5% 미만인 경우

단, 공통매입세액이 500만원 이상인 경우는 제외

B. 해당 과세기간 중의 누적된 공통매입세액이 5만원 미만인 경우

C. 재화를 공급하는 날이 속하는 과세기간에 신규로 사업을 시작한 경우

(3) 의제매입세액의 안분계산

과세사업과 면세사업을 함께하는 사업자가 면세농산물 등을 원재료로 매입한 경우에는 해당 원재료의 실지귀속에 따라 의제매입세액 공제대상인지의 여부를 따지게 된다. 만일, 실지귀속이 불분명한 경우에는 해당 과세기간의 공급가액비율에 따라 안분계산한다.

$$의제매입세액 = 매입가액 \times \frac{과세공급가액(해당과세기간)}{총\ 공급가액(해당과세기간)} \times 의제매입세액공제율$$

(4) 납부 또는 환급세액의 재계산

과세사업과 면세사업에 공통으로 사용되는 재화는 공급가액의 비율에 따라 매입세액공제액을 계산한다. 그러나 감가상각자산의 경우는 재화의 사용기간 중에 면세 또는 과세비율이 변하기 때문에 납부세액 또는 환급세액을 재계산하여 증감된 비율에 해당하는 금액을 납부세액 또는 환급세액에 가감하여야 한다.

이러한 재계산은 다음의 요건을 모두 갖춘 경우에만 적용하며, 확정신고 때에만 적용한다.

① 감가상각자산

② 매입세액을 안분하여 공제한 경우

③ 면세비율과 취득일이 속하는 과세기간에 적용하였던 비율의 차이가 5% 이상인 경우

재계산식은 다음과 같다.

구분	납부세액에 가감되는 세액
건물 및 구축물	불공제매입세액 × (1–5% × 경과된 과세기간) × 증감된 비율
기타의 자산	불공제매입세액 × (1–25% × 경과된 과세기간) × 증감된 비율

※ 재계산 대상 자산이 공급된 경우에는 재계산하지 아니한다.

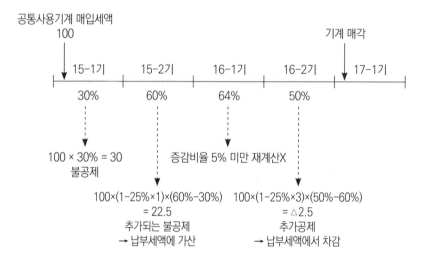

01 부가가치세법상 과세표준의 안분계산에 대한 설명으로 옳지 <u>않은</u> 것은?

① 과세사업과 면세사업에 공통으로 사용한 재화를 공급한 경우에는 직전과세기간의 과세공급가액 비율로 계산한 금액을 과세표준에 가산한다.

② 재화의 공급가액이 50만원 미만인 경우에는 안분계산을 생략할 수 있다.

③ 과세사업에 사용하던 감가상각자산을 면세사업에 일부 전용한 경우 면세사업에 전용한 비율만큼 과세표준에 가산한다. 단, 면세공급가액이 총 공급가액의 10% 미만인 경우에는 과세표준이 없는 것으로 한다.

④ 신규로 사업을 개시한 경우에도 안분계산을 생략할 수 있다.

정답 3

해당 면세사업에 대한 면세공급가액이 총 공급가액의 5% 미만인 경우에는 과세표준이 없는 것으로 한다.

02 ㈜홍홍홍은 2020년 6월 11일에 과세사업과 면세사업에 공통으로 사용하던 기계장치를 10억원에 공급하였다. 2020년 1기확정신고시 반영할 과세표준을 계산하시오.

가) 과세기간별 공급가액

	과세사업 공급가액	면세사업 공급가액
2019년 제2기 과세기간	300,000,000원	200,000,000원
2020년 제1기 과세기간	휴업	휴업
2020년 제2기 과세기간	150,000,000원	150,000,000원

① 187,500,000원　　② 437,500,000원　　③ 500,000,000 원　　④ 600,000,000원

정답 4

1,000,000,000원 × 60% = 600,000,000원

03 부가가치세법상 안분계산에 대한 설명으로 옳지 않은 것은?

① 일부과세에 전용하는 경우 안분순서는 예정공급가액, 예정사용면적, 매입가액비율로 한다.

② 완전과세전용시 기타의 감가상각자산의 가치감소율은 25%이다.

③ 일부과세사업에 전용하는 경우 과세공급가액이 총공급가액의 5%미만인 경우에는 공제세액이 없는 것으로 본다.

④ 일부과세에 전용하는 경우 과세, 면세비율이 변동할 때마다 정산한다.

> 정답 **1**

안분의 순서는 매입가액비율, 예정공급가액비율, 예정사용면적비율로 하되, 건물 취득의 경우에는 예정사용면적비율, 매입가액비율, 예정공급가액비율로 한다.

---

04 치과를 운영하는 맘맘의원은 면세사업에 사용하기 위하여 2019년 6월 1일에 기계장치를 취득하였다. 그러나 2020년 5월 2일 과세사업에 사용하던 기계장치의 고장으로 면세사업에 사용하던 기계를 과세사업에 일부 사용하게 되었다. 다음의 자료를 바탕으로 공통사용으로 인한 과세표준을 계산하시오.

가) 면세사업 기계장치의 불공제된 매입세액: 100,000,000원

나) 과세기간별 공급가액

과세기간	면세사업 공급가액	과세사업 공급가액
2019년 제2기	2,000,000,000원	3,000,000,000원
2020년 제1기	1,500,000,000원	3,500,000,000원

① 30,000,000원 ② 35,000,000원 ③ 45,000,000 원 ④ 52,500,000원

> 정답 **2**

과세공급가액 비율 = 35억원/(15억원+35억원) = 70%

과세표준 = 100,000,000원 × (1 − 25% × 2) × 70% = 35,000,000원 매입세액공제

05 다음의 자료를 바탕으로 공제되는 매입세액을 계산하시오.

가. 과세, 면세사업에의 공통매입세액	3,000,000원
나. 해당 과세기간의 과세공급가액	100,000,000원
해당 과세기간의 면세공급가액	150,000,000원
다. 직전 과세기간의 과세공급가액	150,000,000원
직전 과세기간의 면세공급가액	100,000,000원

① 1,200,000원　　② 1,800,000원　　③ 2,400,000 원　　④ 3,000,000원

정답 1

3,000,000원 × (1억원/2.5억원) = 1,200,000원

06 부가가치세법상 납부세액 또는 환급세액 재계산에 대한 설명으로 옳지 <u>않은</u> 것은?

① 해당 재화를 공급하는 날이 속하는 과세기간에는 납부세액 또는 환급세액의 재계산이 배재된다.

② 취득일이 속하는 과세기간의 총사용면적에 대한 면세사용면적의 비율로 안분계산한 경우에는 증가되거나 감소된 면세사용면적의 비율에 따라 재계산한다.

③ 과세기간의 게시일 후에 감가상각자산을 취득한 경우에는 그 과세기간 개시일에 해당 재화를 취득한 것으로 보아 경과된 과세기간의 수를 계산한다.

④ 공통으로 사용되는 상품 등에 대하여 면세비율이 증가 또는 감소한 경우 당초 과다공제된 매입세액을 추징하는 제도이다.

정답 4

납부세액 또는 환급세액의 재계산은 감가상각 대상 자산에만 적용되는 제도이다.

7. 차가감납부할 세액

1) 차가감납부 및 환급할 세액

$$
\begin{array}{ll}
\text{납 부 (환 급) 세 액} = \text{매 출 세 액 } - \text{ 매 입 세 액} & \\
(-) \quad \text{신 용 카 드 매 출 전 표 등 발 행 세 액 공 제} & \\
(-) \quad \text{기 타 경 감 및 공 제 세 액} & \text{전 자 신 고 세 액 공 제 등} \\
(-) \quad \text{예 정 신 고 미 환 급 세 액} & \text{예 정 신 고 시 환 급 세 액 신 고 한 경 우} \\
(+) \quad \text{예 정 고 지 세 액} & \text{개 인 사 업 자 가 고 지 납 부 한 세 액} \\
\quad\quad \text{가 산 세 액} & \\
(=) \quad \underline{\text{차 가 감 납 부 (환 급) 세 액}} & \\
\end{array}
$$

2) 경감 및 공제세액

(1) 신용카드매출전표 등 발행세액공제

영수증 발급대상 사업을 영위하는 개인사업자가 부가가치세가 과세되는 재화 또는 용역을 공급하고 신용카드매출전표, 직불카드영수증, 선불카드영수증, 현금영수증 등을 발급하거나 전자적 결제수단에 의하여 대금을 결제받는 경우에는 다음의 금액을 납부할 세액에서 공제한다.

공제금액 = 그 발급금액 또는 결제금액 × 1.3%(2022년 이후 1% 개정)

단, 공제한도는 연간 1,000만원이며 2022년 이후 500만원으로 축소됨.

(2) 전자신고에 대한 세액공제

납세자가 직접 전자신고방법으로 확정신고를 하는 경우에는 납부할 세액에서 1만원을 공제하거나 환급세액에 가산한다.

(3) 예정고지세액

예정신고의무가 면제된 개인사업자는 관할세무서장이 직전과세기간에 대한 납부세액의 50%를 결정하여 고지한 세액을 납부한다.

3) 가산세

(1) 미등록 및 허위등록가산세
사업자가 사업의 개시일로부터 20일 이내에 사업자등록을 신청하지 아니한 경우에는 사업개시일부터 사업자등록을 신청한 날의 직전일까지의 공급가액의 1%를 가산세로 부과한다.

(2) 세금계산서 가산세
① 미발급 가산세: 공급가액의 2%

발급시기가 지난 후 해당 재화 또는 용역의 공급시기가 속하는 과세기간에 대한 확정신고 기한까지 세금계산서를 발급하지 않은 경우

② 허위발급 및 허위수취 가산세: 공급가액의 2%

실제로 재화 또는 용역을 공급하는 자가 아닌 자 또는 공급받는 자가 아닌 자의 명의로 세금계산서 등을 발급한 경우

③ 과다기재 발급 및 수취 가산세: 실제와 차이나는 공급가액의 2%

재화 또는 용역을 공급(수취)하고 세금계산서 등의 공급가액을 과다하게 기재한 경우

④ 가공발급 및 수취 가산세: 세금계산서 등에 기재된 금액의 3%

재화 또는 용역을 공급(수취)하지 아니하고 세금계산서를 발급한(받은) 경우

⑤ 지연발급 가산세: 공급가액의 1%

발급시기가 지난 후 공급시기가 속하는 과세기간에 대한 확정신고 기한까지 발급하는 경우

⑥ 부실기재 가산세: 공급가액의 1%

필요적 기재사항의 전부 또는 일부가 착오 또는 과실로 기재되지 않은 경우

(3) 매출처별 세금계산서 합계표 가산세

① 미제출 가산세: 공급가액의 0.5%

② 부실기재 가산세: 공급가액의 0.5%
거래처별 등록번호 또는 공급가액의 전부 또는 일부가 적혀 있지 않거나, 사실과 다르게 기재되어 있는 경우

③ 지연제출 가산세: 공급가액의 0.3%
예정신고 시 제출하여야 할 합계표를 제출하지 아니하고 확정신고기한까지 제출하는 경우

④ 매입처별 세금계산서 합계표 가산세

⑤ 지연수취 가산세: 공급가액의 0.5%
공급시기 이후에 발급받은 세금계산서로서 해당 공급시기가 속하는 과세기간에 대한 확정신고기한까지 발급받아 공제받는 경우

⑥ 현금매출명세서 등 불성실 가산세: 미제출 또는 차이금액의 1%
현금매출명세서 또는 부동산임대공급가액명세서를 제출하지 아니하거나 제출한 수입금액이 사실과 다르게 기재되어 있는 경우

⑦ 전자세금계산서 불성실 가산세
A. 지연전송 가산세: 공급가액의 0.3%
B. 미전송 가산세: 공급가액의 0.5%

(4) 가산세의 중복적용 배제

① 미등록가산세 또는 타인명의등록가산세가 적용되는 경우
A. 세금계산서불성실가산세(1% 적용분)
B. 전자세금계산서 발급명세 전송불성실 가산세
C. 매출처별세금계산서합계표 제출불성실가산세

D. 매입처별세금계산서합계표 제출불성실가산세

② 세금계산서 불성실 가산세가 중 위장발급 및 지연발급이 적용되는 경우
세금계산서 불성실 가산세, 매출처별세금계산서합계표 제출불성실가산세

③ 세금계산서 불성실 가산세 중 2% 또는 3%가 적용되는 경우
A. 미등록가산세 또는 타인명의등록가산세
B. 매출처별세금계산서합계표 제출불성실가산세
C. 매입처별세금계산서합계표 제출불성실가산세

④ 법인세법(소득세법)의 현금영수증 미발급가산세가 적용되는 경우
A. 세금계산서 불성실 가산사(미발급가산세 적용분)
B. 매출처별세금계산서합계표 제출불성실가산세

8. 부가가치세의 신고와 납부

1) 신고와 납부

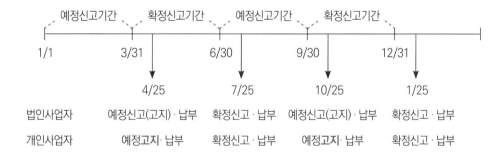

(1) 예정신고

① 법인사업자

예정신고기간의 종료일로부터 25일 이내에 예정신고기간에 대한 과세표준과
납부세액을 관할세무서장에게 신고 및 납부하여야 한다.
단, 직전과세기간 공급가액의 합계액이 1억 5천만원 미만인 법인사업자에 대

하여 각 예정신고기간마다 직전 과세기간에 대한 납부세액에 50%를 곱한 금액을 결정하여 납부하는 것으로 신고를 대신한다.

② 개인사업자

관할세무서장은 각 예정신고기간마다 직전 과세기간에 대한 납부세액에 50%를 곱한 금액을 결정하여 납세고지서를 발부하고 예정신고기간의 종료일로부터 25일까지 징수한다. 단, 다음의 하나에 해당하는 경우에는 예정신고를 하고 신고기간의 납부세액을 납부할 수 있다.

A. 휴업 또는 사업의 부진 등으로 인하여 예정신고기간의 공급가액 또는 납부세액이 직전 과세기간의 공급가액 도는 납부세액의 3분의 1에 미달하는 경우

B. 각 예정신고기간분에 대하여 조기환급을 받으려는 경우

(2) 확정신고

사업자는 각 과세기간에 대한 과세표준과 납부세액(환급세액)을 그 과세기간 종료 후 25일 이내에 각 사업장 관할 세무서장에게 신고 및 납부를 하여야 한다. 단, 폐업하는 경우에는 폐업일이 속한 달의 다음 달 25일까지 신고 및 납부를 하여야 한다.

(3) 재화의 수입에 대한 신고

재화를 수입하는 자는 관세법에 따라 관세를 세관장에게 신고 및 납부하여야 한다.

① 재화의 수입에 대한 부가가치세 납부유예

법령으로 정하는 요건을 충족하는 중소기업이 과세사업에 사용하기 위한 재화를 수입하는 경우, 부가가치세 납부유예를 신청하는 경우에는 해당 재화를 수입할 때 부가가치세의 납부를 유예할 수 있다.

유예받은 사업자는 예정신고 또는 확정신고 시 유예된 세액을 정산하거나 납부하여야 한다.

(4) 대리납부

국내에 사업장이 없는 비거주자 또는 외국법인이 국내에서 용역 또는 권리를 공

급하는 경우에 부가가치세를 과세한다. 그러나 이러한 경우 부가가치세 거래징수 의무를 부과하고 이행하는데 어려움이 따르게 된다.

이런 문제를 해결하고자 용역 또는 권리를 공급받는 사업자가 비거주자 또는 외국법인을 대신하여 부가가치세를 납부하도록 하는 것을 대리납부라고 한다.

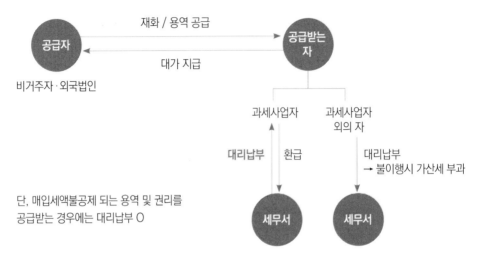

① 요건

구분	내용
대상거래	A. 국내에서 용역 또는 권리를 공급받는 경우 B. 국내에 반입하는 것으로 관세와 함께 부가가치세를 신고, 납부하여야 하는 재화의 수입에 해당하지 아니하는 경우
공급하는 자	A. 국내사업장이 없는 비거주자 또는 외국법인 B. 국내사업장이 있는 비거주자 또는 외국법인으로서 국내사업장과 관련 없이 용역 등을 공급하는 경우
공급받는 자	A. 원칙: 면세사업자 또는 비사업자인 경우 B. 예외: 매입세액이 공제되지 아니하는 용역 등을 공급받는 경우

② 대리납부세액

대리납부세액 = 용역 등의 공급가액 × 10%

③ 대리납부방법

대리납부신고서와 함께 징수한 사업장 주소지 관할 세무서장에게 납부한다.

④ 대리납부 불이행 가산세

구분	내용
가산세액	가산세액 = A + B A. 미납부 또는 과소납부세액의 3% B. 미납부 또는 과소납부세액 × 미납한일수 × 0.025%
한도	미납부 또는 과소납부세액의 10%

(5) 신용카드 등 결제금액에 대한 대리납부제도

대통령령으로 규정하는 특례사업자의 경우 부가가치세가 과세되는 재화 또는 용역을 공급하고 신용카드업자로부터 대가를 수령하는 경우에는 해당 공급대가를 특례사업자에게 결제하는 때에 공급대가의 110분의 4에 해당하는 금액을 부가가치세로 징수하여 매 분기가 끝나는 달의 다음 달 25일까지 대리납부신고서와 함께 관할 세무서장에게 납부하여야 한다.

2) 결정, 경정 및 환급

(1) 결정 및 경정

① 의의

납세의무자가 신고한 내용에 오류 및 탈루가 있는 경우 납세지 관할세무서장은 경정을 할 수 있으며, 신고하지 않은 경우 결정을 할 수 있다.

② 사유

　A. 예정신고 또는 확정신고를 하지 아니한 경우

　B. 예정신고 또는 확정신고를 한 내용에 오류가 있거나 내용이 누락된 경우

　C. 확정신고를 할 때 매출처별 세금계산서합계표 또는 매입처별 세금계산서합계표를 제출하지 아니하거나 제출한 합계표에 기재사항의 전부 또는 일부가 적혀있지 아니하거나 사실과 다른 경우

　D. 사업장의 이동이 빈번한 경우 등 그 밖의 법령으로 정하는 사유로 부가가치세를 포탈할 우려가 있는 경우

(2) 환급

매입세액이 매출세액을 초과하는 경우 환급세액이 발생하며, 각 과세기간별로 환급하는 것이 원칙이다. 그러나 특정한 요건에 해당하는 경우에는 조기환급신청을 통해 환급시기를 앞당길 수 있다.

① 원칙: 일반환급

과세기간별로 환급세액을 신고기한 경과 후 30일 이내에 사업자에게 환급하며, 예정신고기간의 환급세액은 예정신고시 환급하지 아니하고 확정신고시 납부할 세액에서 차감한다.

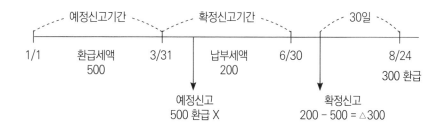

② 예외: 조기환급

A. 조기환급의 요건

a. 영세율을 적용받는 경우

b. 사업설비(감가상각자산에 한정)를 신축, 취득, 확장하는 경우

c. 사업자가 재무구조개선계획을 이행 중인 경우

B. 조기환급 신청의 구분

a. 예정신고 또는 확정신고 시 조기환급 신청

b. 조기환급기간별 조기환급 신청

01 일반과세자의 부가가치세 신고 및 납부에 대한 설명으로 옳지 <u>않은</u> 것은?

① 부가가치세를 신고하지 않은 사업자는 수정신고를 할 수 없다.
② 개인사업자는 관할세무서장이 각 예정신고기간마다 직전과세기간의 납부세액에 50%를 곱한 금액을 결정하여 고지한다.
③ 법인사업자는 예정신고기간이 끝난 후 25일 이내에 각 예정신고기간에 대한 과세표준과 납부세액을 신고 및 납부하여야 한다.
④ 사업자가 폐업하는 경우에는 과세기간에 대한 과세표준과 납부세액을 과세기간이 종료한 후 25일 이내에 납세지 관할세무서장에게 신고 및 납부하여야 한다.

정답 **4**

사업자를 폐업하는 경우에는 폐업일이 속하는 달의 다음달 25일까지 납세지 관할세무서장에게 부가가치세 확정신고를 하여야 한다.

02 부가가치세법상 대리납부에 대한 설명 중 <u>틀린</u> 것은?

① 대리납부의무를 이행하지 않은 경우는 불성실가산세가 부과된다.
② 국내에서 국내사업장이 없는 비거주자 또는 외국법인으로부터 용역을 공급받는 과세사업자는 대리납부의무가 없다.
③ 징수한 대리납부세액은 부가가치세 대리납부신고서와 함께 부가가치세를 징수한 사업장 관할 세무서장에게 납부할 수 있다.
④ 사업의 포괄양수도에 따라 그 사업을 양수받는 자는 그 대가를 받은 자로부터 부가가치세를 징수하여 대가를 지급하는 날이 속하는 달의 말일까지 납부할 수 있다.

정답 **2**

과세사업자도 매입세액이 공제되지 아니하는 용역 등을 공급받는 경우에는 대리납부의무를 지게 된다.

03 부가가치세법상 신고 및 납부에 대한 설명 중 틀린 것은?

① 예정신고기간의 고지세액이 30만원 미만인 개인사업자에 대해서는 예정고지를 하지 않는다.

② 공인회계사업, 세무사업 등 부가가치세법에서 정하는 사업을 하는 사업자는 예정신고 또는 확정신고시 현금매출명세서를 함께 제출하여야 한다.

③ 재화의 수입에 대하여 관세법에 따라 관세를 세관장에게 신고 및 납부하는 경우에는 재화의 수입에 대한 부가가치세를 함께 신고 및 납부하여야 한다.

④ 영세율매출명세서 및 세금계산서합계표는 예정신고시 제출하지 않고 확정신고시 제출해도 가산세 대상이 아니다.

정답 4

영세율매출명세서 및 세금계산서합계표도 예정신고시 제출서류로서 제출하지 않는 경우 가산세 대상이 된다.

9. 간이과세

구 분	일반과세자	간이과세자
적용대상자	법인사업자 간이과세자 이외의 개인사업자	직전 연도 공급대가의 합계액이 8,000만원에 미달하는 개인사업자 *법인은 간이과세자가 될 수 없음
과세표준	공급가액	공급대가(공급가액 + VAT)
납부세액	매출세액 – 매입세액	공급대가 × 부가가치율 × 10%
거래징수	재화·용역공급시 거래징수의무 있음	해당사항 없음
세금계산서	세금계산서 또는 영수증 발급	영수증발급만 가능[7]
예정신고납부	자진신고납부. 다만, 개인사업자는 예정고지를 원칙으로 함(그러나 징수하여야 할 금액이 30만원 이하인 경우에는 예정고지를 생략함)	직전 과세기간에 대한 납부세액의 50%를 예정부과기간인 1월1일부터 6월30일까지의 납부세액으로 결정하여 징수한다.[8]
대손세액공제	적용받을 수 있음	적용받을 수 없음
매입세액	매입세액으로 공제	매입세액 × 부가가치율
의제매입세액	농산물 등 매입가액 $\times \dfrac{2}{102}\left(\dfrac{8}{108}, \dfrac{6}{106}\right)$	면세농산물 등 매입가액 × 공제율[9]
신용카드매출전표발행세액공제	신용카드매출전표등발행금액 × 1.3%	신용카드매출전표등발행금액 × 1.3% (2022년부터는 1%)
가산세	① 미등록가산세: 공급가액 × 1% ② 초과환급세액에 대한 초과환급신고가산세와 납부·환급불성실가산세 적용 ③ 세금계산서 관련가산세 있음	① 미등록가산세 : 공급대가 × 0.5% ② 초과환급세액에 대한 초과환급신고가산세와 납부·환급불성실가산세 미적용 ③ 세금계산서 관련가산세 있음[10]

---

7. 단, 직전 연도 공급대가의 합계액이 4,800만원 이상 8,000만원 미만인 간이과세자는 세금계산서를 발급하여야 한다.
8. 휴업이나 사업부진 등으로 인해 예정부과기간의 공급대가의 합계액 또는 납부세액이 직전 과세기간의 공급대가의 합계액에 1/3에 미달하는 경우 예정부과기간의 과세표준과 납부세액을 신고할 수 있다.
9. 음식점 업의 경우: 8/108(과세표준 4억원 이하인 경우는 9/109)
   과세유흥장소의 경우: 2/102
   제조업의 경우: 6/106
10. 세법개정으로 인해 2021년 7월 1일자로 간이과세자도 세금계산서를 발급할 수 있게 되면서 세금계산서불성실가산세와 미수취가산사, 매출처별세금계산서합계표불성실가산세를 적용받게 됨.

구 분	일반과세자	간이과세자
납부의무면제	해당사항 없음	공급대가가 4,800만원 미만인 경우
포기제도	해당사항 없음	간이과세 포기제도가 있음
기장의무	장부비치기장의무가 있음	발급받은 세금계산서와 발급한 영수증을 보관한 때에는 장부비치기장의무를 이행한 것으로 봄
회계처리	VAT 예수금 또는 VAT 대급금으로 회계처리하며, 익금(또는 총수입금액) 또는 손금(또는 필요경비)에 산입할 수 없음	부가가치세 관련 회계처리가 없으며, 납부세액을 필요경비에 산입함

소득세법의 이해

Dental Management Officer

소득세법의 이해

Dental Management Officer

03

1. 총칙

1) 의의

개인을 납세의무자로 하고 개인의 소득을 과세대상으로 하여 부과하는 국세에 해당하며, 세금의 담세자와 납세의무자가 동일한 직접세이다.

2) 과세방법

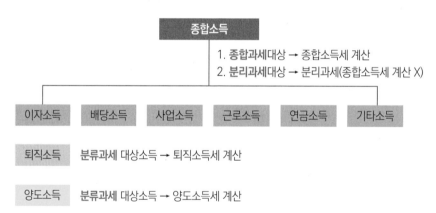

(1) 종합과세

소득의 종류에 관계없이 과세기간별로 해당하는 모든 소득을 합산하여 과세하는 방식을 말하며, 현행소득세법은 이자, 배당, 사업, 근로, 연금, 그리고 기타소득에 대하여 종합과세하고 있다.

(2) 분리과세

종합과세와는 달리 다른 소득과 합산하지 않고 소득을 지급하는 자가 원천징수함으로써 과세를 종결지으며, 종합과세되는 소득 중 일부가 이에 해당한다.

(3) 분류과세

퇴직소득과 양도소득은 종합과세하지 않고 소득별로 분류하여 과세한다

3) 특징

구분	내용
개인에게 과세	소득세는 개인단위로 과세한다. 단, 조세회피목적의 공동사업에 대하여는 세대단위로 합산하여 과세한다.
인적공제	인적사항에 따라 개인이 부양하는 가족에 대한 인적공제제도를 두고 있다.
누진과세	6-45%의 초과누진세율에 의하여 과세한다.

2. 납세의무자

1) 거주자와 비거주자

(1) 거주자

국내에 주소를 두거나 1과세기간 동안 국내에 183일의 거소를 둔 개인을 말한다. 거주자는 국내와 국외소득 전부에 대하여 납세의무를 지게 된다.

(2) 비거주자

거주자가 아닌 자를 비거주자라고 하며, 거주자와 달리 국내 원천소득에 대해서만 납세의무를 지게 된다.

2) 소득의 구분

구분	정의	과세소득의 범위
거주자	국내에 주소를 두거나 183일 이상 거소를 둔 개인	국내외 원천소득
비거주자	거주자가 아닌 자로서 국내원천소득이 있는 개인	국내원천소득

* 외국인 단기 거주자에 대한 과세특례(소득세법 제3조 1항)

  해당 과세기간 종료일 10년 전부터 국내에 주소나 거소를 둔 기간의 합이 5년 이하인 외국인 거주자에게는 과세대상 소득 중 국외원천소득의 경우, 국내에서 지급되거나 국내로 송금된 소득에 대해서만 과세한다.

(1) 거주자의 소득

거주자의 소득은 종합소득, 퇴직소득 그리고 양도소득으로 구분한다.

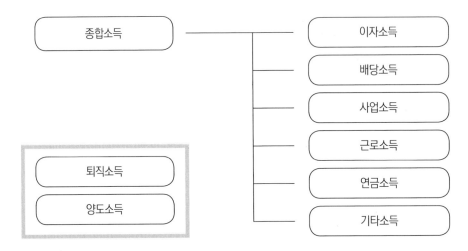

(2) 비거주자[1]의 소득

비거주자의 퇴직소득과 양도소득은 거주자와 동일하게 과세하지만 국내사업장이 없거나 국내사업장에 귀속되지 않는 소득은 소득별로 분리과세한다.

(3) 공동사업의 납세의무

국세기본법에서는 공동사업에 대한 국세에 대해서 공동사업자가 연대납세의무를 지도록 규정하고 있다. 그러나 소득세법에서는 별도로 공동사업에 대한 소득세

---

1. 소득세법 집행기준 1의 2-2-1【거주자와 비거주자의 구분】

국내에 주소를 가진 것으로 보는 경우	국내에 주소가 없는 것으로 보는 경우
계속하여 183일 이상 국내에 거주할 것을 통상 필요로 하는 직업을 가진 때	
국내에 생계를 같이 하는 가족이 있고 또 그 직업 및 자산상태에 비추어 계속하여 183일 이상 국내에 거주할 것으로 인정되는 때	외국국적을 가졌거나 영주권을 얻은 자가 국내에 생계를 같이 하는 가족이 없고 그 직업 및 자산상태에 비추어 다시 입국하여 주로 국내에 거주하리라 인정되지 아니하는 때
외항선박 또는 항공기의 승무원의 경우 생계를 같이하는 가족이 거주하는 장소 또는 그 승무원이 근무 기간 외의 기간 중 통상 체재하는 장소가 국내에 있는 때에는 주소가 국내에 있는 것으로 보고, 그 장소가 국외에 있는 때에는 주소가 국외에 있는 것으로 봄	

는 공동사업자가 연대납세의무를 지지 아니하고, 해당 공동사업자별로 납세의무를 지도록 규정하고 있다.

3) 과세기간과 납세지

(1) 과세기간

소득세법상 과세기간은 선택이 아닌 역년주의를 원칙으로 매년 1월 1일부터 12월 31일까지 1년의 기간을 과세기간으로 하고 있다. 이는 부가가치세법과는 달리 사업개시나 폐업 등의 영향을 받지 않으며, 과세기간을 임의로 정하는 법인세법과도 구분된다.

단, 거주자가 사망한 경우는 1월 1일부터 사망한 날까지를 1 과세기간으로 하며, 출국하여 비거주자가 되는 경우에는 1월 1일부터 출국한 날까지를 1 과세기간으로 한다.

(2) 납세지

납세의무자가 세법에 의한 신고 및 납부의무를 이행하는데 기준이 되는 동시에 과세관청이 과세표준과 세액의 결정 또는 경정결정 등의 과세처분을 행하는 기준이 되는 장소를 납세지라 한다.

① 거주자와 비거주자의 경우

구분	납세지
거주자	주소지: 주소지가 없는 경우는 거소지로 함
비거주자	주된 국내사업장의 소재지: 국내사업장이 없는 경우, 국내원천소득이 발생하는 장소로 함

② 원천징수한 소득세의 경우

원천징수의무자	원천징수하는 소득세의 납세지
거주자	가. 원칙: 주된 사업장의 소재지 나. 주된 사업장 외의 장소에서 원천징수 하는 경우: 그 사업장의 소재지 다. 사업장이 없는 경우: 주소지 또는 거소지
비거주자	가. 원칙: 주된 국내사업장의 소재지 나. 주된 사업장 외의 장소에서 원천징수 하는 경우: 그 사업장의 소재지 다. 국내사업장이 없는 경우: 거류지 또는 체류지
법인	가. 원칙: 본점 또는 주사무소의 소재지 나. 지점 등 기타사업장이 독립채산제에 따라 독자적으로 회계사무를 처리 　　하는 경우: 그 사업장의 소재지
납세조합	그 납세조합의 소재지

③ 납세지의 지정

과세관청은 사업소득이 있는 거주자가 사업장소재지를 납세지로 신청한 때에는 납세지를 지정할 수 있으며, 지정신청은 과세기간의 10월 1일부터 12월 31일까지 납세지지정신청서를 사업장관할세무서장에게 제출하여야 한다.

④ 납세지의 변경

납세지가 변경된 때에는 변경된 날부터 15일 이내에 변경신고서를 변경 후의 납세지 관할세무서장에게 신고하여야 한다.

4) 소득세의 계산구조

	총 수 입 금 액	················	비과세, 분리과세소득은 제외함
(−)	필 요 경 비		
(=)	소 득 금 액		
(−)	소 득 공 제	················	종합소득공제 등
(=)	과 세 표 준		
(×)	세 율	················	6-45% 누진과세
(=)	산 출 세 액		
(−)	세 액 감 면	················	소득세법, 조세특례제한법상 감면
(−)	세 액 공 제	················	소득세법, 조세특례제한법상 공제
(=)	결 정 세 액		
(+)	가 산 세		
(=)	총 결 정 세 액		
(−)	기 납 부 세 액	················	중간예납세액, 원천징수세액 등
(=)	자 진 납 부 할 세 액		

01 소득세법상 과세기간에 대한 설명 중 옳지 않은 것은?

① 사업자등록을 한 사업자의 경우 사업개시일부터 12월31일까지를 과세기간으로 한다.

② 거주자가 주소를 국외로 이전하여 비거주자가 되는 때의 과세기간은 1월1일부터 출국한 날까지를 과세기간으로 한다.

③ 거주자가 사망한 경우는 1월 1일부터 사망한 날까지를 과세기간으로 한다.

④ 소득세법상 과세기간은 사업개시일과 관계없이 1월1일부터 12월31일까지이다.

정답 1

소득세법상 과세기간은 1월 1일부터 12월 31일을 원칙으로 한다. 단, 거주자가 사망한 경우에는 1월 1일부터 그 사망일까지, 거주자가 출국하여 비거주자가 되는 경우에는 1월 1일부터 출국일까지를 과세기간으로 한다.

02 소득세법상 거주자와 비거주자에 대한 설명으로 옳지 않은 것은?

① 국내에 주소가 없는 자도 183일 이상 거소를 둔 경우는 거주자로 판단한다.

② 비거주자라 할지라도 퇴직소득과 양도소득은 거주자와 동일하게 과세한다.

③ 생계를 같이하는 가족이 거주하는 장소 또는 승무원이 근무기간 외의 기간 중 통상 체제하는 장소가 국내에 있다고 하더라도 이는 비거주자로 본다.

④ 비거주자는 거주자와 달리 국내원천소득에 대해서만 납세의무를 진다.

정답 3

외국항행 승무원으로서 생계를 같이 하는 가족이 거주하는 장소 또는 그 승무원이 근무시간 이외의 기간 중 통상 체재하는 장소가 국내에 있는 경우에는 거주자로 본다.

03 소득세법상 납세지에 대한 설명으로 옳은 것은?

① 사업소득이 있는 거주자가 납세지를 변경하고자 하는 경우, 변경 신고를 변경된 날부터 60일 이내에 하여야 한다.

② 원천징수하는 소득세의 납세지는 주된 사업장의 소재지이다.

③ 비거주자의 납세지는 주된 국내사업장의 소재지이나, 국내사업장이 없는 경우에는 거소지를 납세지로 한다.

④ 국세청장은 거주자가 사업장소재지를 납세지로 신청하는 경우에는 납세지를 따로 지정할 수 있다.

정답 4

① 납세지의 변경 신고는 변경된 날부터 15일 이내에 변경 후의 납세지 관할세무서장에게 신고하여야 한다.

② 주된 사업장이 없는 경우에는 거주자의 주소지 또는 거소지를 납세지로 하며, 납세조합이 징수하는 소득세의 납세지는 납세조합의 소재지이다.

③ 국내사업장이 없는 경우에는 비거주자의 거류지, 체류지를 납세지로 한다.

3. 종합소득세

1) 사업소득

영리를 목적으로 자기의 계산과 책임 하에 계속적이고 반복적으로 행하는 활동을 통하여 얻는 소득을 사업소득이라 한다. 한국표준산업분류에 의한 모든 업종을 사업소득으로 소득세법에서 열거하고 있다. 다만, 다음의 경우는 사업소득으로 보지 아니한다.

> a. 작물재배업 중 곡물 및 기타 식량작물 재배업
> b. 공익사업 관련 지역권 등의 설정 및 대여소득
> c. 통신판매업자를 통하여 물품이나 장소를 대여하고 연간 수입금액 500만원 이하의 사용료로서 받은 금액을 기타소득으로 원천징수하거나 과세표준확정신고를 한 경우에는 기타소득으로 과세
> d. 연구개발업(대가를 받고 제공하는 용역의 경우는 사업소득으로 봄)
> e. 교육기관: 유치원, 학교, 노인학교 등
> f. 사회복지사업: 아동수용복지시설, 성인수용복지시설, 장애인수용복지시설 등
> g. 노인장기요양보호법에 따른 장기요양사업

(1) 비과세 사업소득

① 논밭을 작물생산에 이용하게 함으로써 발생하는 소득

논밭을 작물생산에 이용하게 함으로 인하여 발생하는 소득은 소득세를 과세하지 아니한다. 이때 논밭을 주차장, 야적장 등 다른 용도로 이용하는 경우에는 비과세하지 아니한다.

② 농업, 어업 등 부업소득

농가부업규모의 축산에서 발생하는 소득은 전액 비과세하며, 농가부업규모를 초과하는 축산과 민박, 음식물판매, 특산물제조 등의 부업에서 발생한 소득을 합산한 소득금액에서 연간 3,000만원 이하의 금액은 비과세 한다.

③ 1주택자의 주택임대소득

1주택을 소유하는 자가 이를 대여하고 월세를 수령하는 경우의 소득은 비과

세한다(과세기간 종료일 또는 해당 주택의 양도일 현재 기준시가가 9억원을 초과하는 주택과 국외에 소재하는 주택에 대한 임대소득은 과세). 이때 주택 수는 다음과 같이 계산한다

> a. 다가구주택은 1개의 주택으로 보되, 구분등기된 경우에는 각각을 1개의 주택으로 계산한다.
> b. 공동소유의 경우는 지분이 큰 사람의 소유로 계산한다. 단, 지분이 큰 사람이 2명 이상인 경우에는 당사자간 합의로 1명을 해당 주택 임대수입의 귀속자로 지정한 경우에는 그의 소유로 한다.
> c. 임차받은 주택을 전대하거나 전전세하는 경우에는 해당 임차주택을 임차인의 주택으로 계산한다.

④ 전통주 제조소득

전통주를 수도권정비계획법에 의한 수도권지역 외의 읍, 면지역에서 제조함으로써 발생하는 소득은, 연간 1,200만원 이하인 것은 비과세한다.

⑤ 조림기간 5년 이상인 임목의 양도소득

사업소득 중 조림기간 5년 이상인 임지의 임목의 벌채 또는 양도로 발생하는 소득으로서 연 600만원 이하의 금액은 비과세한다.

(2) 사업소득금액의 계산

① 총수입금액

해당 과세기간에 발생한 수입금액의 합계액을 말한다.

A. 사업수입금액

매출액을 말하며, 매출에누리, 할인액은 매출액에서 차감한다.

B. 거래상대방으로부터 수령하는 장려금

거래상대방으로부터 받는 장려금 기타 이와 유사한 성질의 금액

C. 필요경비로 지출된 세금의 환입액

D. 사업과 관련된 자산수증이익과 채무면제이익

사업과 관련하여 무상으로 취득한 자산 또는 채무를 면제받음으로서 얻는 이익은 총수입금액에 산입한다. 단, 세법상 이월결손금의 보전에 충당한 금액은 산입하지 않는다.

E. 간주임대료

부동산 또는 그 권리를 대여하고 보증금, 전세금과 유사한 성질의 금액을 수령하는 경우에는 간주임대료를 계산하여 총수입금액에 산입한다.

F. 사업용 자산의 양도가액

복식부기의무자가 차량운반구, 공구, 비품, 기계장치 등 사업용 유형자산(감가상각자산)을 양도하는 경우 그 양도가액을 총수입금액에 산입한다. 단, 부동산의 경우 양도소득세가 과세되는 경우는 제외한다.

② 총수입금액 제외항목(총수입금액 불산입)

A. 소득세 환급금액
B. 개별소비세, 주세 및 부가가치세 매출세액
C. 국세환급가산금 및 지방세환급가산금
D. 자산수증이익 등 중 이월결손금 보전에 충당된 금액
E. 이월된 소득금액
F. 자기 사업을 위하여 사용하는 재고자산

③ 필요경비

필요경비에 산입할 금액은 총수입금액에 대응하는 비용으로서 사업소득금액을 계산할 때 차감한다.

A. 매출원가

상품 또는 제품에 대한 원재료 매입가액

B. 종업원의 급여

사업자 본인의 급여는 필요경비에 산입하지 않는다. 사업자 본인의 배우자 또는 부양가족에 대한 급여는 실제 사업에 종사하는 경우에만 인정한다.

C. 사업과 관련한 보험료

사업용자산의 손해보험료, 사용자로서 부담하는 건강보험료, 고용보험료 및 장기요양보험료 등은 필요경비에 산입한다.

D. 판매장려금 지급금액

거래량이나 금액에 따라 상대방에게 지급하는 장려금 과 유사한 성질의 금액은 필요경비에 산입한다. 또한 특수관계 있는 자 외의 자에게 지급되는 판매장려금 등으로서 사회통념상 정상적인 거래라고 인정되는 범위 내의 금액은 접대비로 보지 않고 필요경비로 판단한다.

E. 재해손실

매입한 상품, 제품, 부동산 중 재해로 인하여 멸실된 것의 원가를 그 재해가 발생한 연도의 소득금액계산에 있어서 필요경비에 산입한 경우에는 이를 필요경비에 산입한다.

F. 사업용 자산의 양도당시 장부금액

복식부기의무자가 사업용 유형자산의 양도가액을 총수입금액에 산입한 경우, 당시 장부가액을 필요경비에 산입한다.

④ 필요경비 제외항목(필요경비 불산입)

A. 소득세와 개인지방소득세
B. 부가가치세의 매입세액
C. 자산의 평가손실
D. 가사관련경비 및 업무무관경비
E. 법인세법상 손금불산입항목과 동일한 것

⑤ 법인세법과 사업소득과의 차이

직접법	간접법
총수입금액 – 필요경비 = 사업소득금액	결산서상 당기순이익
	(+) 총수입금액 산입, 필요경비불산입
	(-) 총수입금액 불산입, 필요경비산입
	= 사업소득금액

A. 총수입금액

a. 이자수익과 배당수익

법인세법은 소득을 원천별로 구분하지 않고 하나의 소득으로 과세하지만, 소득세법에서는 사업소득과 별도로 이자소득 또는 배당소득으로 구분하여 과세하기 때문에 사업소득에 포함되지 않는다.

b. 유가증권처분손익, 유형자산처분손익

법인세법에서는 익금과 손금으로 인정하지만, 소득세법에서는 사업과 관련된 금액만을 총수입금액에 산입한다.

c. 자산수증이익, 채무면제이익

순자산의 증가에 해당하기 때문에 법인세법에서는 익금으로 보지만, 소득세법은 사업과 관련된 금액에 한하여 총수입금액에 산입한다.

B. 필요경비

a. 대표자급여

법인은 대표자에게 지급하는 인건비는 원칙적으로 손금에 산입하지만, 사업소득에서는 대표자가 받는 급여는 출자금의 인출로 보아 필요경비로 볼 수 없다.

b. 자산의 평가손실

법인세법에서는 법정요건을 충족하면 평가손실을 손금에 산입할 수 있으나, 소득세법에서는 그렇지 않다.

c. 생산설비의 폐기손실

법인은 시설개체 및 기술낙후로 설비를 폐기할 경우 비망금액 1천원을 공제한 금액을 손금산입할 수 있지만, 소득세법에서는 폐기손실을 필요경비에 산입할 수 없으며 처분할 때 장부가액에서 처분가액을 차감한 금액을 폐기처분손실로 필요경비에 산입할 수 있다.

⑥ 업무용승용차 관련 비용 등의 특례

복식부기의무자가 업무용승용차를 취득하거나 임차하여 과세기간의 필요경비로 계상하거나 지출한 감가상각비, 임차료, 보험료, 유류비 등 취득 및 유지를 위하여 지출한 비용 중 업무용 사용금액에 해당하지 않는 금액에 대하여 필요경비에 산입하지 않는다.

A. 감가상각비

감가상각방법은 정액법으로 하고 내용연수는 5년으로하여 계산한다.

B. 처분손익

해당 차량을 매각하는 경우 그 매각대금을 매각일이 속하는 과세기간의 총수입금액에 산입하며, 당시의 장부가액은 필요경비에 산입한다.

C. 업무 외적 사용금액의 필요경비불산입

운행일지를 통해 업무에 사용하지 않은 금액은 필요경비에서 제외한다. 단, 해당 과세기간의 업무용승용차 관련 비용이 1,500만원 이하인 경우는 전액 필요경비에 산입한다.

D. 업무용자동차 전용보험 가입

성실신고확인대상자, 전문직 업종 사업자는 2021년부터 1대를 초과하는 차량에 대하여는 사업자 또는 직원 등이 운전하는 경우만 보험보장을 받는 전용특약보험에 가입해야 하며, 미가입시 필요경비는 50%만 인정된다.

(3) 사업소득의 수입시기

구분	내용
인적용역의 제공	대가를 지급하기로 한 날 또는 제공을 완료한 날 중 빠른 날
전속계약금	프로선수 및 연예인 등이 1년을 초과하는 전속계약에 대한 대가를 일시에 수령하는 경우에는 계약기간에 따라 균등하게 안분한 금액을 각 과세기간 종료일의 수입금액으로 본다.
무인판매기에 의한 판매	해당 사업자가 무인판매기에서 현금을 인출하는 때
어음의 할인	그 어음의 만기일. 단, 만기 전에 그 어음을 양도하는 때에는 그 양도일로 함.

(4) 사업소득의 과세방법

사업소득은 원천징수대상이 아니기 때문에 전액 종합소득에 합산하여 확정신고를 하여야 한다. 단, 다음에 해당하는 사업소득은 원천징수의 대상이 되며, 이때의 원천징수는 예납적 원천징수에 해당하기 때문에 반드시 확정신고 또는 연말정산을 통하여 정산을 하여야 한다.

A. 소액 주택임대소득의 분리과세 특례

주거용 건물 임대업에서 발생한 총수입금액의 합계액이 2천만원 이하인 자의 주택임대소득은 종합소득과세표준에 합산하지 않는다.

B. 부가가치세가 면세되는 의료보건용역과 인적용역에 대한 원천징수

개인사업자, 법인세 납세의무자, 국세기본법 상 법인으로 보는 단체, 국가 및 지방자치단체가 부가가치세가 면세되는 의료보건용역과 인적용역에 대한 수입금액을 개인사업자에게 지급하는 경우에는 수입금액의 3%를 원천징수하여야 한다.

C. 연말정산대상 사업소득에 대한 원천징수

간편장부대상자인 보험모집인, 방문판매원, 음료품배달원의 사업소득에 대해서는 원천징수의무자가 매월 수당을 지급하는 때에 수입금액의 3%를 원천징수하고, 추후 연말정산한다. 이때 방문판매원과 음료품배달원은 원천징수의무자가 관할세무서장에게 연말정산신청을 하는 경우에 한하여 정산한다.

01 사업소득에 대한 설명 중 옳지 <u>않은</u> 것은?

① 노인장기요양보험법에 따른 장기요양사업에 대한 사업소득은 과세하지 않는다.

② 1주택 소유자가 주택임대를 하여 발생한 소득에 대해서는 비과세 한다.

③ 직업운동선수 및 연예인이 활동과 관련하여 받는 전속계약금은 사업소득으로 한다.

④ 사업자 본인의 급여는 사업소득 필요경비에 산입할 수 있다.

정답 4

사업자 본인의 급여는 인출금의 성격으로 보기 때문에 필요경비에 산입하지 못한다.

02 총수입금액에 대한 설명 중 옳지 <u>않은</u> 것은?

① 거래상대방으로부터 받는 장려금 또는 이와 유사한 성질의 금액은 총수입금액에 산입한다.

② 매출환입액은 매출액, 총수입금액에서 차감한다.

③ 사업과 무관한 자산수증이익도 총수입금액에 산입한다.

④ 사업용 자산의 손실로 취득하는 보험차익에 대해서는 총수입금액에 산입한다.

정답 3

사업과 관련된 자산수증이익은 총수입금액에 산입하나, 사업과 무관한 경우는 총수입금액에서 제외한다.

03 총수입금액에서 제외하는 항목이 <u>아닌</u> 것은?

① 종합소득세를 환급받은 금액

② 사업에 사용한 유형자산을 양도하는 경우 그 양도가액

③ 부가가치세 매출세액

④ 이월결손금 보전에 충당된 자산수증이익

정답 2

사업에 사용한 유형자산을 양도하는 경우 그 양도가액은 총수입금액에 산입한다. 단, 양도소득세 신고 대상인 경우 제외할 수 있다.

04 필요경비에 대한 설명 중 옳은 것은?

① 판매한 상품 또는 제품에 대한 부대비용은 필요경비에서 제외한다.

② 배우자와 부양가족에게 지급한 급여는 필요경비에 산입하지 않는다.

③ 간이과세자가 납부한 부가가치세 매입세액은 필요경비에 산입한다.

④ 판매장려금 지급액은 필요경비에 산입하지 않는다.

정답 **3**

① 판매한 상품이나 제품에 대한 부대비용은 필요경비에 산입한다.

② 배우자와 부양가족이 실제로 사업장에 근무하는 경우에는 지급한 급여에 대해서 필요경비에 산입한다.

④ 판매장려금을 지급한 경우 해당 금액은 필요경비에 산입한다.

05 소득세법상 사업소득에 대한 설명으로 옳지 <u>않은</u> 것은?

① 논과 밭을 작물생산에 이용하게 함으로써 발생하는 소득에 대하여는 소득세를 과세하지 않는다.

② 은행에 예금 또는 적금을 함으로써 발생하는 이자는 사업소득금액을 계산할 때 총수입금액에 산입하지 않는다.

③ 간편장부대상자가 사업용 유형자산을 양도하는 경우 그 양도가액을 양도일이 속하는 과세기간의 소득금액을 계산할 때 총수입금액에 산입한다.

④ 사업자 본인의 급여는 출자금의 인출에 해당하기 때문에 필요경비에 산입하지 않는다.

정답 **3**

간편장부대상자가 양도소득세 과세대상에 해당하는 사업용 유형자산을 양도하는 경우는 양도소득으로 과세하게 되며, 이는 총수입금액에 산입하지 아니한다.

06 다음 자료를 바탕으로 소득세법상 복식부기사업자의 사업소득금액을 계산하시오.

1. 손익계산서상 당기순이익   100,000,000원
2. 손익계산서에 반영된 금액(필요경비, 영업외손익 등)
 2.1 대표자 급여   20,000,000원
 2.2 유형자산 처분이익   5,000,000원
 2.3 자산수증이익(이월결손금 보전에 충당된 금액)   4,000,000원
 2.4 사업용 자산의 소실로 인한 보험차익   15,000,000원

① 81,000,000원   ② 96,000,000원   ③ 111,000,000원   ④ 120,000,000원

정답 **3**

당기순이익   100,000,000원
대표자 급여 (+)   20,000,000원
유형자산 처분이익 (−)   5,000,000원 → 유형자산처분이익은 양도소득세가 과세됨
자산수증이익 (−)   4,000,000원
보험차익   −
- - - - - - - - - - - - - - - - - - -
계   111,000,000원

07 다음 자료를 바탕으로 소득세법상 사업소득금액을 계산하시오.

3. 손익계산서상 매출액	150,000,000원
4. 손익계산서상 필요경비 등 (필요경비, 영업외손익 등)	
4.1 배우자 급여(실제로 일하고 있음)	40,000,000원
4.2 세금과공과금 중 과태료	9,000,000원
4.3 예금에 대한 이자수익	140,000원
4.4 유가증권 처분이익	550,000원

① 101,000,000원   ② 101,690,000원   ③ 110,000,000원   ④ 150,000,000원

정답 **3**

매출액	150,000,000원
배우자 급여	(−) 20,000,000원
과태료	− → 과태료는 필요경비에 산입하지 않음
이자수익	− → 이자수익은 금융소득으로 과세됨
유가증권 처분이익	− → 유가증권처분이익도 금융소득으로 과세됨
계	110,000,000원

08 총수입금액의 수입시기에 대한 설명으로 옳지 않은 것은?

① 급여: 근로를 제공한 때
② 인적용역의 제공: 대가를 지급하기로 한 날 또는 용역을 완료한 날 중 빠른 날
③ 무인판매기에 의한 판매: 과세기간 종료일 현재의 현금액
④ 비영업대금의 이익: 약정에 의한 이자지급일

정답 **3**

무인판매기에 의한 판매로 인한 수입시기는 당해 사업자가 무인판매기에서 현금을 인출하는 때로 한다.

09 소득세법상 사업소득과 법인세법상 각사업연도소득에 대한 설명 중 **틀린** 것은?

① 법인은 대표자의 급여를 손금에 산입할 수 있지만, 개인사업자는 대표자의 급여는 인출금의 성격으로 보아 필요경비에 산입하지 않는다.

② 법인은 폐기손실을 손금으로 인정하고 있지만, 개인사업자는 폐기손실을 필요경비에 산입하지 않는다.

③ 유가증권에 대한 평가손실금액은 법인과 개인사업자 모두 손금(필요경비)로 인정한다.

④ 이자수익은 법인의 각사업연도소득에 포함하지만, 개인사업자는 이자소득으로 사업소득과는 별개로 과세한다.

정답 3

유가증권에 대한 평가손실금액은 개인사업자의 경우 필요경비로 인정하지 않는다.

10 다음 중 소득세법상 사업소득에서 필요경비에 해당하는 것은?

① 가사에 사용한 경비
② 과세관청에 납부한 소득세와 개인지방소득세
③ 자산의 평가손실
④ 사업용 유형자산의 양도당시 장부가액

정답 4

① 사업과 무관하게 가사에 사용한 경비는 필요경비에서 제외한다.
② 과세관청에 납부한 소득세와 지방소득세는 필요경비불산입 항목으로 소득세법에서 열거하고 있다.
③ 자산의 평가손실은 법인세법상 손금에 해당하지만 소득세법에서는 필요경비로 인정하지 않고 있다.

2) 근로소득

고용계약 또는 이와 유사한 계약에 의해 일정한 고용주에게 고용되어 근로를 제공하는 수령하는 대가를 근로소득이라 한다.

(1) 근로소득으로 보는 것

① 기밀비(판공비 포함), 교제비 기타 유사한 명목으로 받는 것으로서 업무를 위하여 사용된 것이 분명하지 않은 급여

② 종업원이 받는 공로금, 학자금, 장학금 기타 이와 유사한 성질의 급여

③ 여비 명목으로 수령하는 급여

④ 법인세법상 임원퇴직금 한도초과액

⑤ 휴가비 기타 이와 유사한 급여

⑥ 주택을 제공받음으로써 얻는 이익.

⑦ 종업원이 주택의 구입 및 임차에 소요되는 자금을 저리 또는 무상으로 대여받음으로써 얻는 이익

⑧ 주식매수선택권의 행사이익. 단, 퇴직 후에 행사하는 경우는 기타소득으로 본다.

(2) 근로소득으로 보지 않는 것

① 사용자가 부담하는 보험료 중 단체순수보장성보험과 단체환급부보장성보험의 보험료 중 연간 70만원 이하의 금액과 고의가 아닌 업무상 행위로 인한 손해의 배상청구를 보험금의 지급사유로 하고 임직원을 피보험자로 하는 보험료

② 종업원에게 지급한 경조사비 중 사회통념상 타당하다고 인정되는 범위의 금액

(3) 비과세 근로소득

① 실비변상적 성질의 급여: 월 20만원 이내의 금액

A. 일직료, 숙직료 또는 여비로서 실비변상정도의 금액

B. 유아교육법, 초중등, 고등교육법에 의한 교원 및 중소기업의 연구전담요원 등이 수령하는 연구보조비 또는 활동비

C. 방송, 신문기자 등이 수령하는 취재수당

D. 근로자가 벽지에 근무함으로 인하여 수령하는 벽지수당

② 복지후생적 성격의 급여

A. 사내급식 또는 이와 유사한 방법으로 제공받는 식사 기타 음식물과 식사 등을 제공받지 않는 근로자가 수령하는 월 10만원 이하의 식사대

B. 월정액급여가 210만원 이하로서 직전 과세기간의 총급여액이 3,000만원 이하인 생산직 근로자가 연장, 야간근로 또는 휴일근로를 하여 받는 급여로서 연간 240만원 이내의 금액

C. 근로자 또는 그 배우자의 출산이나 6세 이하의 자녀의 보육과 관련하여 사용자로부터 지급받는 급여로서 월 10만원 이내의 금액

D. 근로자 본인이 지급받는 학교와 직업능력개발훈련시설의 입학금, 수업료 기타 공납금 중 일정한 요건[1]을 갖춘 학자금은 해당 과세기간에 납입할 금액

③ 기타의 비과세 근로소득

A. 고용보험법에 따라 수령하는 실업급여, 육아휴직급여, 육아기근로시간단축급여, 출산전후휴가급여 등

B. 산업재해보상보험법에 따라 수급권자가 받는 요양급여, 휴업급여, 장해급여, 간병급여 또는 근로의 제공으로 인한 부상, 질병, 사망과 관련하여 근로자나 그 유족이 받는 배상 또는 위자의 성질이 있는 급여

---

1. 가. 해당 근로자가 종사하는 사업체의 업무와 관련 있는 교육, 훈련을 위하여 받는 것.
   나. 해당 근로자가 종사하는 사업체의 규칙 등에 의하여 정해진 지급기준에 의해 받는 것.
   다. 교육기간이 6개월 이상인 경우 교육 후 해당 교육기간을 초과하여 근무하지 않는 경우에는 지급받은 금액을 반납할 것을 조건으로 하여 받는 것.

(4) 근로소득금액의 계산

근로소득금액은 비과세소득을 제외한 총급여액에서 근로소득공제를 차감한다.

근로소득금액 = 총급여액(비과세소득 제외) - 근로소득공제

* 근로소득공제액

급여액	공제금액
500만원 이하	총급여액의 70%
500만원 초과 - 1,500만원 이하	350만원 + 500만원 초과액의 40%
1,500만원 초과 - 4,500만원 이하	750만원 + 1,500만원 초과액의 15%
4,500만원 초과 - 1억원 이하	1,200만원 + 4,500만원 초과액의 5%
1억원 초과	1,475만원 + 1억원 초과액의 2%

일용근로자의 근로소득공제금액은 일 15만원으로 한다.

(5) 수입시기

소득의 종류	수입시기
① 급여	근로를 제공한 날
② 잉여금 처분에 의한 상여	해당 법인의 잉여금처분결의일
③ 인정상여	해당 법인의 사업연도 중 근로를 제공한 날
④ 임원 퇴직소득 한도초과액	지급받거나 지급받기로 한 날

(6) 과세방법

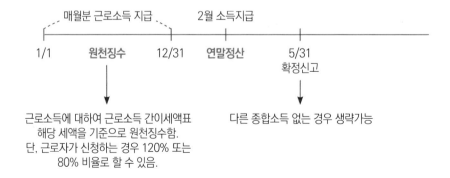

① 원천징수제도

근로소득을 지급하는 사업주는 '근로소득 간이세액표'에 따라 소득세를 원천징수한다. 단, 근로소득을 지급하는 사업주가 비거주자 또는 외국법인인 경우 원천징수의무가 없다.

② 연말정산

근로소득 간이세액표에 따라 원천징수하는 세액은 약식에 의한 것이기 때문에 해당 과세기간의 급여가 모두 지급된 이후, 원천징수한 세액과 종합소득 결정세액과 비교하여 정산하게 되는데 이를 연말정산이라 한다.

구분		원천징수	연말정산	확정신고
원천징수 대상 근로소득	상용직	O	O	X
	일용직	O	해당없음	해당없음
원천징수 제외 근로소득	납세조합 O	X	X	O
	납세조합 X	O	O	X

③ 근로소득 간이세액표의 적용

근로자가 신청하는 경우에는 근로소득 간이세액표 해당 세액의 80% 또는 120%의 비율에 해당하는 금액을 원천징수 할 수 있다.

④ 확정신고

근로소득은 종합과세되는 소득으로서 다른 종합소득이 있는 경우, 합산하여 확정신고하여야 한다. 단, 원천징수되는 근로소득만 있는 경우는 분리과세 또는 연말정산에 의하여 납세의무가 종결되기 때문에 확정신고를 하지 않아도 된다.

01 소득세법상 근로소득에 대한 설명 중 옳지 <u>않은</u> 것은?

① 퇴직 후에 주식매수선택권을 행사함으로 얻는 이익은 퇴직소득으로 과세한다.

② 출자임원이 주택을 제공받음으로써 얻는 이익은 근로소득으로 과세한다.

③ 사업자가 종업원에게 지급한 경조금 중 사회통념상 타당하다고 인정되는 범위의 금액은 근로소득으로 보지 않는다.

④ 법인세법상 임원퇴직금 한도초과액은 근로소득으로 과세한다.

정답 1

퇴직 후에 주식매수선택권을 행사함으로 얻는 이익은 기타소득으로 과세한다.

02 다음 중 소득세법상 비과세 근로소득이 <u>아닌</u> 것은?

① 방송기자 등이 취재활동과 관련하여 받는 취재수당 중 월 20만원 이내의 금액

② 근로자가 사내급식 또는 유사하게 제공받는 식사 기타 음식물과 기타 음식물을 제공받지 아니하는 근로자가 받는 월 10만원 이하의 금액

③ 종업원 또는 교직원이 지급받는 직무발명보상금 중 기타소득으로 과세되지 않는 금액

④ 6세 이하의 자녀의 보육과 관련하여 지급받는 급여로서 월 10만원 이내의 금액

정답 3

종업원, 법인의 임원, 공무원, 대학의 교직원 또는 대학과 고용관계가 있는 학생이 지급받는 직무발명보상금으로서 연간 500만원 이하의 금액에 대하여 비과세 한다.

03 소득세법상 근로소득에 대한 설명으로 옳지 <u>않은</u> 것은?

① 일용근로자의 근로소득은 종합소득세 신고 시 과세표준에 합산하지 않는다.
② 임원이 아닌 종업원이 주택을 제공받음으로써 얻는 이익은 근로소득에 포함하지 않는다.
③ 현물로 식사를 제공받는 경우 월 10만원 이내의 금액에 대하여만 비과세 한다.
④ 법인세법에 의하여 상여처분 된 금액은 근로소득에 포함한다.

정답 **3**

현물로 식사를 제공받는 경우 식대는 전액 과세대상 근로소득이다.

04 다음의 자료를 이용하여 총 급여액을 계산하시오.

1. 기본급	25,000,000원
2. 상여금	10,000,000원
3. 자가운전보조금(1/1-12/31)	4,800,000원
4. 식사대(1/1-12/31)	1,200,000원

* 자가운전보조금은 여비를 받지 않는 대가로 수령하는 금액
* 식사대 외에 식사를 제공받고 있다.

① 36,200,000원 ② 38,600,000원 ③ 39,800,000원 ④ 41,000,000원

정답 **2**

기본급	25,000,000원
(+) 상여금	10,000,000원
(+) 자가운전보조금	2,400,000원
(+) 식사대	1,200,000원

(=) 총급여액	38,600,000원

05 다음의 자료를 바탕으로 해당 근로자의 근로소득금액을 계산하시오.

> 가. 근로소득의 내역은 다음과 같다.
>
>   A. 급여 등의 연간 지급액: 24,000,000원
>
>   B. 상여금의 연간 합계액: 4,600,000원
>
>   C. 자가운전보조금: 월 300,000원(본인의 차량을 직접 운전하여 업무에 이용하였음)
>
>   D. 식사대: 월 100,000원(회사에서 20만원 상당의 현물식사를 제공받고 있음)
>
>   E. 사내규정에 따른 결혼축의금: 1,000,000원
>
> 나. 근로소득공제
>
>   총급여액 1,500만원 초과 4,500만원 이하 : 750만원 + 1,500만원 초과액의 15%

① 19,060,000원　　② 20,930,000원　　③ 22,120,000월　　④ 21,100,000원

정답 4

급여등	24,000,000원
(+) 상여금	4,600,000원
(+) 자가운전보조금	1,200,000원
(+) 식사대	1,200,000원
- - - - - - - - - - - - - -	
(=) 총급여액	31,000,000원
(-) 근로소득공제	9,900,000원
- - - - - - - - - - - - - -	
(=) 근로소득금액	21,100,000원

06 다음 중 근로소득의 수입시기에 대한 설명 중 옳지 <u>않은</u> 것은?

① 급여: 근로를 제공한 날

② 인정상여: 해당 법인의 과세표준 종료일

③ 임원 퇴직소득 한도초과액: 지급받거나 받기로 한 날

④ 잉여금 처분에 의한 상여: 해당 법인의 잉여금처분결의일

정답 2

인정상여는 해당 법인의 사업연도 중 근로를 제공한 날을 수입시기로 한다.

3) 기타소득

다른 소득에 속하지 않는 소득으로서 소득세법에서 열거된 소득을 기타소득이라 한다. 기타소득은 일시·우발적으로 발생하는 것이 가장 큰 특징이다.

(1) 기타소득의 범위

이자소득, 배당소득, 사업소득, 근로소득, 연금소득, 퇴직소득 및 양도소득에 해당하지 않으면서 소득세법에 열거된 소득을 말한다.

① 상금 및 당첨품

A. 상금, 포상금 등 이에 준하는 금품
B. 복권, 경품 등 그 밖의 추첨에 당첨되어 받는 금품
C. 사행행위 등 규제 및 처벌특례법에서 규정하는 행위에 참가하여 얻은 이익
D. 승마권, 승자투표권, 소싸움경기투표권 및 체육진흥투표권의 구매자가 받는 환급금
E. 슬롯머신 등 기타 이와 유사한 기구를 이용하는 행위에 참가하여 받는 당첨금품 또는 이에 준하는 금품

② 자산 및 권리의 양도 및 대여로 인해 발생하는 소득

A. 저작자 또는 음반제작자, 방송사업자 외의 자가 저작권 또는 저작인접권의 양도 또는 사용의 대가로 받는 금품
B. 영화필름, 비디오테이프 또는 필름의 양도 및 대여 또는 사용의 대가로 받는 금품
C. 광업권 등 일정한 권리의 양도 및 대여로 인한 소득
광업권, 상표권, 영업권 등과 유사한 자산이나 권리를 양도하거나 대여하고 그 대가로 받는 금품
D. 물품 또는 장소를 일시적으로 대여하고 이용료로서 받는 금품
E. 통신판매중개업자를 통하여 물품 또는 장소를 대여하고 연간 수입금액 500만원 이하의 사용료로서 받은 금품
F. 공익사업과 관련하여 지역권, 지상권을 설정하거나 대여함으로써 발생하

는 소득

G. 서화, 골동품의 양도로 인해 발생하는 소득(단, 양도가액이 6천만원 이상인 것)[2]

F. 가상자산소득(2022년부터 과세예정)

③ 노력에 대한 대가

A. 일시적인 문예창작소득. 단, 사업성이 있는 경우에는 사업소득으로 본다.

B. 일시적인 인적용역의 제공에 따른 대가

    a. 고용관계 없이 다수인에게 강연을 하고 강연료 등 대가를 받는 용역

    b. 라디오, TV를 통하여 해설 또는 심사를 하고 보수 또는 이와 유사한 성질의 대가를 받는 용역

    c. 변호사, 회계사, 세무사, 변리사, 그 밖의 전문적 지식 또는 특별한 기능을 가진 자가 그 지식 또는 기능을 활용하여 보수 또는 그 밖의 대가를 받고 제공하는 용역

    d. 그 밖에 고용관계 없이 수당 또는 이와 유사한 성질의 대가를 받고 제공하는 용역

C. 재산권에 대한 알선수수료

D. 사례금

④ 기타의 일시적인 소득

A. 소기업, 소상공인 공제부금의 해지일시금

B. 연금계좌로부터 연금외수령한 소득

C. 계약의 위약 또는 해약으로 인하여 받는 소득으로서 다음의 어느 하나에 해당하는 것

    a. 위약금과 배상금: 본래의 계약의 내용이 되는 지급 자체에 대한 손해를 넘는 손해에 대하여 배상하는 금전 또는 그 밖의 물품의 가액을 말한다.

    b. 부당이득 반환 시 지급받는 이자

D. 유실물의 습득으로 인하여 보상금을 받는 경우

---

2. 서화 및 골동품의 양도로 발생하는 소득은 계속적이고 반복적으로 거래되는 경우라 할지라도 기타소득으로 과세한다. 단, 다음의 경우에는 사업소득으로 과세한다.

   가. 거래를 위한 사업장 등 물적시설을 갖춘 경우

   나. 거래를 위한 목적으로 사업자등록을 한 경우

E. 소유자가 없는 물건의 점유로 소유권을 취득하는 자산

F. 법인세법에 따라 기타소득으로 소득처분된 소득

G. 주식매수선택권 행사이익. 단, 근로기간 중에 행사하는 경우 근로소득으로 본다.

H. 종업원 또는 대학의 교직원이 퇴직한 후에 지급받거나 대학의 학생이 받는 직무발명보상금

I. 뇌물, 알선수재 및 배임수재에 의하여 받는 금품

(2) 비과세 기타소득

① 국가유공자 또는 보훈보상대상자가 받는 보훈급여 또는 학습보조비

② 국가보안법에 의해 수령받는 상금과 보로금

③ 상훈법에 따른 훈장과 관련하여 받는 부상이나 그 밖에 법령으로 정하는 상금과 부상

④ 서화 및 골동품을 박물관 또는 미술관에 양도함으로써 발생하는 소득

(3) 기타소득금액의 계산

기타소득금액은 총수입금액에서 필요경비를 차감한 금액으로 한다.

기타소득의 필요경비는 기타소득 총수입금액과 관련 있는 비용을 말한다. 이때 필요경비는 실제 발생한 경비로 하며, 입증이 어려운 경우에는 총수입금액에 필요경비율을 곱하여 계산한 금액인 추정필요경비를 두어 필요경비로 인정하고 있다.

① 추정필요경비가 인정되는 소득

추정필요경비 = Max[실제 소요된 필요경비, 총수입금액 × 필요경비율]

A. 필요경비율 90%인정 소득

보유기간 10년 이상인 서화나 골동품의 양도로 발생하는 소득

B. 필요경비율 80%인정 소득

a. 공익법인이 주무관청의 승인을 얻어 시상하는 상금 및 부상

b. 다수가 순위경쟁하는 대회에서 입상자가 받는 상금 및 부상

c. 위약금과 배상금 중 주택입주 지체상금

C. 필요경비율 60%인정 소득

a. 일시적인 문예창작소득과 일시적인 인적용역 제공에 대한 대가

b. 공익사업 관련 지역권 등의 설정 및 대여소득

c. 광업권 등 일정한 권리의 양도 또는 대여소득

d. 통신판매중개업자를 통한 소액 대여소득

② 실제 발생한 필요경비를 공제하는 경우

추정필요경비가 인정되는 소득이 아닌 경우에는 실제 발생한 필요경비만을
공제한다.[3]

(4) 기타소득의 수입시기

구분	수입시기
일반적인 경우	그 지급을 받은 날
법인세법에 의해 처분된 경우	그 법인의 해당 사업연도 결산확정일
계약금이 위약금 또는 배상금으로 대체되는 경우	계약의 위약 또는 해약이 확정된 날
광업권 등 일정한 권리의 양도로 인한 소득	그 대금을 청산한 날, 자산을 인도한 날 또는 사용수익일 중 빠른 날. 단, 대금청산 전에 자산을 인도 또는 사용수익하였으나 대금이 확정되지 않은 경우에는 대금지급일로 한다.
연금계좌로부터 수령한 경우	연금외수령한 날

(5) 기타소득에 대한 과세방법

① 원천징수

국내에서 거주자 또는 비거주자에게 기타소득을 지급하는 자는 기타소득금
액에 원천징수세율을 곱한 금액을 원천징수하여 그 징수일이 속하는 달의 다
음 달 10일까지 납부하여야 한다.

구분	원천징수세율
복권당첨금, 승마투표권, 승자투표권, 체육진흥투표권 환급금, 슬롯머신 당첨금 및 배당금	3억 이하 : 20% 3억 초과 : 30%

3. 가상자산소득에 대해서는 실제 취득가액과 부대비용을 필요경비로 계산한다. 2022년 1월 1일 이전에 기
보유하고 있던 자산의 취득가액은 2021년 12월 31일 당시의 시가와 그 가상자산의 취득가액 중에서 큰
금액으로 한다.

구분	원천징수세율
연금계좌로부터 연금외수령 한 소득 소기업, 소상공인 공제부금의 해지일시금	15%
위에 해당하지 않는 그 외의 원천징수대상 기타소득*1	20%

*1 원천징수제외 기타소득

> A. 계약의 위약 또는 해약으로 인하여 받는 위약금 및 배상금으로써 계약금
> 이 위약금으로 대체되는 경우
> B. 뇌물, 알선수재 및 배임수재에 의하여 받는 금품

② 종합과세와 분리과세

구분	대상	과세방법
무조건 분리과세	A. 복권당첨금 B. 승마투표권, 승자투표권, 체육진흥투표권의 환급금 C. 슬롯머신 등의 당첨금품 및 배당금품 D. 서화, 골동품의 양도소득 E. 연금계좌로부터 연금외수령 한 기타소득	무조건 분리과세
무조건 종합과세	A. 계약금이 위약금 또는 배상금으로 대체된 경우의 위 약금 및 배상금(A) B. 뇌물, 알선수재 및 배임수재에 의하여 받는 금품	무조건 종합과세
선택적 분리과세	위 외의 기타소득(B)	A+B 〉300만원:종합과세 A+B 〈 종합과세와 분리과세 중 선택

③ 기타소득의 과세최저한

기타소득의 경우 기타소득금액이 건별로 5만원 이하인 경우는 소득세를 과세
하지 않는다. 단, 승마투표권, 승자투표권, 체육진흥투표권의 환급금의 경우
는 건별로 표시된 금액의 합계액이 10만원 이하이고, 개별 투표당 환급금액
이 10만원 이하거나 환급금이 투표금의 100배 이하이면서 개별투표당 환급
금이 200만원 이하인 경우에 소득세를 과세하지 않는다.

슬롯머신의 당첨금의 경우에는 매 건별로 200만원 미만의 경우에 과세하지
아니한다.

01 소득세법상 기타소득에 해당하지 않는 것은

① 불법사행행위 및 불법경마 등 불법적인 사행산업에 참여하여 얻은 이익이라 하더라도 기타소득으로 과세한다.

② 저작자 또는 음반제작자가 저작권을 양도 또는 사용의 대가로 받는 금품은 기타소득으로 구분한다.

③ 일시적인 문예창작소득은 기타소득으로 구분한다.

④ 재산의 매매나 양도 기타 이와 유사한 계약을 알선하고 받는 수수료는 기타소득으로 과세한다.

정답 2

저작가 또는 음반제작자 본인이 직접 양도하는 경우 기타소득이 아닌 사업소득으로 구분한다.

02 기타소득에 대한 설명으로 틀린 것은?

① 상금, 현상금 및 포상금은 총수입금액의 80%와 실발생 필요경비 중 큰 금액을 필요경비로 인정한다.

② 공무원이 직무와 관련하여 받는 뇌물은 기타소득으로 과세한다.

③ 근로자가 퇴직 후에 주식매수선택권을 행사하는 경우 기타소득으로 과세한다.

④ 기타소득금액이 매 건별로 5만원 이하인 경우 과세하지 않는다.

정답 1

상금 중 공익법인이 주무관청의 승인을 얻어 시상하는 상금의 경우 80% 필요경비를 인정해 주고 있으며, 일반적인 상금의 경우 총수입금액의 60%를 필요경비로 인정한다.

4) 소득금액계산의 특례

(1) 부당행위계산의 부인

부당행위계산 부인의 요건	내용
특정소득이 있는 거주자	출자공동사업자의 분배금, 사업소득, 기타소득 또는 양도소득이 있는 거주자여야 한다.
특수관계인[4]과의 거래	
조세의 부담을 부당하게 감소시킨 거래[5]	시가와 거래가액의 차액이 3억원 이상이거나 시가의 5%에 상당하는 금액 이상인 경우

---

4. 특수관계인의 범위(소득세법 시행령 제98조 제1항)

구분	특수관계인의 범위
친족관계	1) 6촌 이내의 혈족 2) 4촌 이내의 인척 3) 배우자(사실혼 관계도 포함한다) 4) 친생자로서 다른 사람에게 입양된 자 및 그 배우자·직계비속
경제적 연관관계	1) 임원과 그 밖의 사용인 2) 본인의 금전이나 그 밖의 재산으로 생계를 유지하는 자 3) 1) 및 2)의 자와 생계를 같이하는 친족
경영지배관계	1) 본인이 직접 또는 그와 친족관계 또는 경제적 연관관계에 있는 자를 통하여 법인의 경영에 대하여 지배적인 영향력을 행사하고 있는 경우 그 법인 2) 본인이 직접 또는 그와 친족관계, 경제적 연관관계 또는 1)의 관계에 있는 자를 통하여 법인의 경영에 대하여 지배적인 영향력을 행사하고 있는 경우 그 법인

5. 소득세법 집행기준 41-98-4 【조세부담을 부당하게 감소시킨 것으로 인정되는 경우】

가. 특수관계인으로부터 시가보다 높은 가격으로 자산을 매입하거나 특수관계인에게 시가보다 낮은 가격으로 자산을 양도한 경우

나. 특수관계인에게 금전이나 그 밖의 자산 또는 용역을 무상 또는 낮은 이율 등으로 대부하거나 제공한 경우. 다만, 직계존비속에게 주택을 무상으로 사용하게 하고 직계존비속이 그 주택에 실제 거주하는 경우는 제외한다.

다. 특수관계인으로부터 금전이나 그 밖의 자산 또는 용역을 높은 이율 등으로 차용하거나 제공받는 경우

라. 특수관계인으로부터 무수익자산을 매입하여 그 자산에 대한 비용을 부담하는 경우

마. 그 밖에 특수관계인과의 거래에 따라 해당 과세기간의 총수입금액 또는 필요경비를 계산할 때 조세의 부담을 부당하게 감소시킨 것으로 인정되는 경우

(2) 결손금과 이월결손금의 공제

결손금이란 해당 과세기간에 속하거나 속하게 될 필요경비가 총 수입금액을 초과하는 경우의 그 초과금액을 말한다.

결손금의 공제방법은 이월공제와 소급공제가 있으며, 소득세법상 사업소득의 결손금은 10년간 이월공제 할 수 있으며, 중소기업의 결손금은 1년간 소급공제가 허용된다.

① 사업소득의 결손금

A. 부동산임대업 외의 사업에서 발생한 결손금

부동산임대업 이외의 사업에서 발생한 결손금은 부동산임대업의 소득금액에서 먼저 공제하고, 미공제 잔액에 대하여 근로소득금액, 연금소득금액, 기타소득금액, 이자소득금액, 배당소득금액의 순서로 공제한다.

B. 부동산 임대업에서 발생한 결손금

부동산임대업에서 발생한 결손금은 다른 종합소득금액에서 공제하지 않는다.

② 사업소득의 이월결손금

당해 발생한 결손금 중 공제하고 남은 잔액은 발생한 과세기간의 종료일부터 10년간 이월하여 공제할 수 있다

A. 부동산임대업 외의 사업에서 발생한 이월결손금

부동산임대업 이외의 사업에서 발생한 이월결손금은 사업소득금액, 근로소득금액, 연금소득금액, 기타소득금액, 이자소득금액, 배당소득금액의 순서로 공제한다.

B. 부동산 임대업에서 발생한 이월결손금은 부동산임대업의 소득금액에서 공제한다.

③ 결손금의 소급공제

중소기업을 경영하는 거주자가 그 중소기업의 사업소득금액을 계산할 때 결손금을 다른 소득에서 공제하고 남는 금액이 발생한 경우에는 이를 1년간 소

급공제하여 직전 과세기간의 그 중소기업의 사업소득에 대한 종합소득세액을 환급할 수 있다.

(3) 공동사업에 대한 소득금액의 계산

공동사업을 영위하는 사업자는 약정된 손익분배비율에 의하여 분배되었거나 분배될 소득금액에 대하여 각 공동사업자별로 납세의무를 지게 된다.

① 공동사업장의 소득금액 계산

사업을 공동으로 경영하고 손익을 분배하는 경우에는 그 공동사업장을 1거주자로 보아 공동사업장별로 총수입금액에서 필요경비를 차감하여 소득금액을 계산한다.

② 공동사업장의 소득금액 분배

공동사업자간에 약정된 손익분배비율에 의하여 분배되었거나 분배될 소득금액에 따라 각 공동사업자 별로 분배한다. 공동사업자는 이렇게 분배된 소득금액을 각자의 다른 소득과 합산하여 각자 신고 및 납부한다.

③ 조세회피목적의 공동사업에 대한 합산과세

소득세는 누진세율이 적용되어 소득을 타인에게 분산시킬수록 조세부담이 줄어들게 된다. 그렇기 때문에 실질적으로는 단독사업장이지만 공동사업의 형식을 취하게 되면 소득세를 회피할 수 있다.

이렇게 소득분산을 통한 조세회피를 방지하기 위하여 조세회피의 목적으로 공동사업의 형태를 갖추는 경우에는 어느 한사람의 소득으로 합산하여 과세하는 규정을 따로 두고 있다.

거주자 1인과 특수관계인이 공동사업자에 포함되어 있는 경우, 손액분배비율을 거짓으로 정하는 등 일정한 사유에 해당하는 경우 그 특수관계인의 소득금액은 그 손익분배비율이 큰 공동사업자의 소득금액으로 본다. 단, 손익분배비율이 동일한 경우에는 다음에 정하는 자가 주된 공동사업자가 된다

A. 공동사업소득 외의 종합소득금액이 많은 자
B. 공동사업소득 외의 종합소득금액이 동일한 경우에는 직전 과세기간의 종

합소득금액이 많은 자

C. 직전연도의 종합소득금액이 같은 경우에는 해당 사업에 대한 종합소득과 세표준을 신고한 자.

④ 공동사업에 대한 기타 과세규정

A. 가산세의 적용

지급명세서 제출불성실가산세 등 공동사업장과 관련된 가산세는 각 공동사업 자의 손익분배비율에 따라 배분하여 공동사업자가 함께 부담한다. 그러나 신 고불성실가산세 및 납부불성실가산세는 신고 또는 납부하지 아니한 해당 공 동사업자가 전액 부담한다

B. 기장 및 사업자등록의 내용

공동사업장을 1사업자로 보아 장부의 비치 및 기록 규정과 사업자등록에 관한 규정을 적용한다.

C. 소득금액의 결(경)정 및 부당행위계산 부인 규정의 적용

공동사업에서 발생하는 소득금액의 결정 또는 경정은 대표공동사업자의 주소 지 관할세무서장이 한다.

공동사업장의 소득금액을 계산할 때 부당행위계산 부인의 규정을 적용하는 경우에는 공동사업자를 거주지로 본다.

5) 종합소득과세표준

종합과세되는 소득을 합산하여 종합소득금액을 계산하고, 종합소득공제를 적용 하여 종합소득과세표준을 산정하게 된다.

종합소득과세표준 = 종합소득금액 - 종합소득공제

사업소득	근로소득	기타소득
총수입금액 - 필요경비	총급여액 - 근로소득공제	총수입금액 - 필요경비
사업소득금액	근로소득금액	기타소득금액

	종합소득금액
-	종합소득공제
	과세표준
×	기본세율
	산출세액
-	세액감면, 공제
	결정세액
+	가산세
	총결정세액
-	기납부세액
	자진납부할 세액

(1) 종합소득공제

구분		내용
인적공제	**기본공제**	기본공제대상자 1인당 150만원
	추가공제	① 경로우대자: 1인당 100만원 ② 장애인: 1인당 200만원 ③ 부녀자: 50만원 ④ 한부모: 100만원
연금보험료공제		공적연금보험료 전액에 대하여 공제
주택담보노후연금 이자비용공제		연금소득이 있는 거주자가 주택담보노후연금을 지급받는 경우 그 연금에 대하여 해당 과세기간에 발생한 이자상당액을 연 200만원 한도로 공제
특별소득공제		보험료 및 주택자금

① 인적공제

기본공제와 추가공제는 모든 종합소득자가 적용 받을 수 있다. 단, 인적공제의 합계액이 종합소득금액을 초과하는 경우 그 초과금액은 없는 것으로 한다.

구분	공제대상자	나이요건	소득요건
기초공제	본인	없음	없음
배우자공제	배우자	없음	연간소득금액 100만원 이하[6]
부양가족 공제	직계존속	60세 이상	
	직계비속과 동거입양자	20세 이하	
	위탁아동	18세 미만	
	형제자매	60세 이상 또는 20세 이하	

② 추가공제

구분	공제대상자	사유	공제금액
경로우대자	기본공제대상자	70세 이상인 경우	100만원
장애인	기본공제대상자	장애인인 경우	200만원
부녀자	해당 거주자 (종합소득금액이 3천만원 이하)	A. 배우자가 없는 여성으로서 기본공제대상인 부양가족이 있는 세대주인 경우 B. 배우자가 있는 여성인 경우	50만원
한부모	해당 거주자	배우자가 없는 자로서 기본공제대상자인 직계비속 또는 입양자가 있는 경우	100만원

③ 연금보험료 공제

종합소득이 있는 거주자가 공적연금 관련법에 따른 기여금 또는 개인부담금을 납입한 경우에는 해당 과세기간의 종합소득금액에서 그 과세기간에 납입한 연금보험료 전액을 공제한다. 단, 공제금액이 종합소득금액을 초과하는 경우 초과하는 금액을 한도로 연금보험료 공제를 받지 아니한 것으로 본다.

---

6. 총급여액 500만원 이하의 근로소득만 있는 배우자 또는 부양가족을 포함한다.

④ 주택담보노후연금 이자비용공제

연금소득이 있는 거주자가 주택담보노후연금을 받은 경우에는 그 연금에 대하여 발생한 이자비용 상당액을 연금소득금액에서 공제한다. 공제할 이자상당액이 200만원을 초과하는 경우에는 200만원을 한도로 공제하며, 그 초과금액은 없는 것으로 한다.

⑤ 특별소득공제

A. 보험료 소득공제

근로소득이 있는 거주자가 지출한 건강보험료와 고용보험료 그리고 노인장기요양보험료의 근로자 부담액은 근로소득금액에서 공제한다.

단, 보험료 공제는 나이요건과 소득요건을 모두 충족한 기본공제대상자여야 공제 가능하다.

B. 주택자금 소득공제

근로소득이 있는 거주자로서 무주택 세대주가 해당 과세기간에 주택자금으로 지급한 금액에 대하여 해당 과세기간의 근로소득금액에서 공제한다.

> **주택자금 소득공제금액 = Min(①, ②)**
> ① Min[(주택청약저축 납입액 + 주택임차자금 상환액) × 40%, 300만원] + 장기주택저당차입금 이자상환액

C. 한도: 연간 500만원[7]

---

7. 장기주택저당차입금이 다음과 같은 경우 한도금액은 다음으로 한다.

구분	공제한도
상환기간 15년이상 & 고정금리 & 비거치식 분할상환	1,800만원/연
상환기간 15년이상 & 고정금리 또는 비거치식 분할상환	1,500만원/연
상환기간 10년이상 & 고정금리 또는 비거치식 분할상환	300만원/연

(2) 조세특례제한법상 소득공제

① 신용카드 등 사용금액에 대한 소득공제

A. 공제대상

근로소득이 있는 거주자가 신용카드 등 사용금액의 연간합계액이 과세연도 총급여액의 25%를 초과하는 경우 신용카드 등 소득공제금액을 해당 과세연도의 근로소득금액에서 공제한다.

그리고 거주자의 배우자 또는 생계를 같이하는 직계존비속이 사용한 금액도 이를 포함시킬 수 있다. 단, 연간소득금액의 합계액이 100만원 이하여야 한다.

B. 소득공제금액의 계산

공제대상금액 = Min{[a] + b + c - d, e}

a. 신용카드 사용금액의 15%

b. 직불카드 및 도서공연 사용금액의 30%

c. 전통시장 및 대중교통 사용금액의 40%

d. 최저사용금액[8]

e. 한도금액[9]

---

8. 최저사용금액이 신용카드 사용금액보다 적은 경우: 최저사용금액의 15%

   최저사용금액이 신용카드 사용금액보다 큰 경우:

   신용카드 사용분의 15% + (최저사용금액-신용카드 사용금액)의 30%

9. 공제한도액 = 일반한도 + 추가한도

   1) 일반한도금액

총 급여액	공제한도
7천만원 이하	Min(총급여액의 20%, 300만원)
7천만원 초과 1억 2천만원 이하	250만원
1억 2천만원 초과	200만원

   2) 추가한도금액 = Min(가, 나)

   가. 공제대상금액 – 일반한도

   나. Min(전통시장 사용금액의 40%, 100만원) + Min(대중교통 사용금액의 40%, 100만원) + Min(도서,공연,박물관 등 사용금액의 30%, 100만원)

C. 신용카드등 사용금액에서 제외하는 것

a. 사업소득과 관련된 비용의 경우

b. 세액공제를 받은 월세금액

c. 국민건강보험료, 고용보험료, 연금보험료등의 보험료 또는 공제금액

d. 상품권 등 유가증권 구입비용 및 리스료(차량 대여 포함)

e. 자동차를 구입하는 경우(중고자동차의 경우는 10%금액을 한도로 포함)

f. 국외에서 사용한 신용카드 사용금액

g. 유치원, 초, 중, 고, 대학 및 대학원의 수업료, 등록금

② 소기업, 소상공인 공제부금에 대한 소득공제

구분	내용
공제대상	소기업, 소상공인 공제에 가입하여 공제부금을 납입한 사업자 또는 총급여액이 7천만원 이하인 법인의 대표자
공제액	Min(공제부금 납입액, 300만원[10])

③ 소득공제 종합한도

공제금액 및 필요경비의 합계액이 2,500만원을 초과하는 경우, 그 초과하는 금액은 없는 것으로 한다. 한도 포함되는 소득공제 항목은 다음과 같다.

A. 주택자금소득공제

B. 신용카드 등 사용금액에 대한 소득공제

C. 우리사주조합, 중소기업창업투자조합 소득공제

D. 청약저축 등에 대한 소득공제

---

10. 소기업, 소상공인 공제부금에 대한 소득공제금액 한도

해당 과세연도 사업소득금액	소득공제 한도액
4천만원 이하	500만원
4천만원 초과 1억원 이하	300만원
1억원 초과	200만원

01 다음 중 종합소득공제에 대한 내용 중 옳지 <u>않은</u> 것은?

① 기본공제대상자가 아니더라도 경로우대자 100만원은 추가로 공제가 가능하다.

② 배우자라 하더라도 연간소득금액의 합계액이 100만원을 초과하면 기본공제대상자에서 제외한다.

③ 형제자매는 60세 이상이거나 20세 이하의 경우에만 기본공제대상자로 포함한다.

④ 기본공제대상자 1인당 150만원을 공제한다.

> **정답 1**

경로우대자 추가공제는 기본공제대상자의 경우에 추가로 공제가 가능하다.

02 소득세법상 종합소득공제에 대한 설명 중 <u>잘못된</u> 것은?

① 종합소득이 있는 거주자가 국민연금을 납입한 경우에는 해당 과세기간의 종합소득금액에서 그 과세기간에 납입한 연금보험료 전액을 공제한다.

② 부녀자공제는 종합소득과세표준이 3천만원 이하인 거주자에 한하여 적용한다.

③ 배우자 및 기타부양가족 중 연간소득금액이 100만원 이하인 사람(근로소득만 있는 경우에는 총급여액 500만원 이하)에 한하여 기본공제를 적용한다.

④ 부양가족 중 직계존속의 경우 60세 이상인 경우에 한하여 기본공제를 적용한다.

> **정답 2**

부녀자공제는 해당 과세기간에 종합소득금액이 3천만원 이하인 거주자에 한하여 적용한다.

03 다음 중 추가공제에 관한 설명 중 <u>잘못된</u> 것은?

① 경로우대자공제는 70세 이상인 경우에 100만원을 추가로 공제한다.

② 장애인공제는 기본공제대상자가 장애인인 경우 200만원을 추가로 공제한다.

③ 부녀자공제는 배우자가 없는 여성도 부양가족이 있는 세대원인 경우도 50만원을 추가로 공제한다.

④ 한부모공제와 부녀자공제가 모두 해당하는 경우 한부모공제를 적용한다.

> **정답 3**

부녀자공제는 배우자가 없는 여성으로서 기본공제대상인 부양가족이 있는 세대주이거나, 배우자가 있는 여성인 경우 50만원을 추가로 공제하는 것을 말한다.

04 다음 자료를 근거로 하여 연말정산 시 인적공제액의 합계를 구하시오.

(1) 김해인 씨는 여성으로 근로소득자이다.
(2) 생계를 같이하는 동거가족의 현황은 다음과 같다.

관계	나이	소득금액	
본인	36세	근로소득금액	: 25,000,000원
배우자	36세	사업소득금액	: 12,000,000원
장녀	14세	분리과세 이자소득 : 2,000,000원	
동생	28세	없음	

* 동생은 해당 과세기간 종료일 현재 장애인이다.

① 6,500,000원   ② 7,000,000원   ③ 8,000,000원   ④ 8,500,000원

정답 2

- 본인: 기본공제대상자로서 배우자가 있는 여성으로 종합소득금액이 3,000만원을 초과하지 않기 때문에 부녀자공제 적용 대상이다.
- 배우자: 사업소득금액이 100만원을 초과하므로 기본공제대상자가 아니다.
- 장녀: 분리과세되는 이자소득만 있으므로 기본공제대상자에 해당한다.
- 동생: 장애인으로 나이요건을 적용하지 않으며 소득이 없으므로 기본공제대상에 해당한다.

인적공제금액 : 기본공제(150만원) × 3명 + 200만원(장애인, 동생) + 50만원(부녀자공제)

05 다음 중 특별소득공제에 대한 설명 중 옳지 <u>않은</u> 것은?

① 특별소득공제는 보장성보험료와 주택자금을 종합소득금액에서 공제한다.
② 기본공제대상자의 보장성보험료는 보험료 소득공제 대상에서 제외한다.
③ 근로소득이 없는 거주자도 주택자금 소득공제를 적용할 수 있다.
④ 본인의 건강보험료와 고용보험료 중 본인 부담금은 전액 보험료 소득공제로 공제한다.

정답 3

주택자금 소득공제는 근로소득이 있는 거주자(일용근로자를 제외한다)에 한하여 적용할 수 있다.

06   주택자금 소득공제에 대한 내용 중 옳은 것은?

① 근로소득이 있는 거주자로서 해당 과세기간의 총급여액이 7천만원이하인 자는 주택마련저축 납입액에 대한 소득공제를 적용 받을 수 있다.

② 장기주택저당차입금의 이자상환액에 대한 소득공제는 세대주만 적용할 수 있다.

③ 장기주택저당차입금의 경우 기준시가가 9억원 이하인 주택을 취득하기 위한 경우에도 소득공제를 적용할 수 있다.

④ 주택마련저축 납입액에 대한 소득공제는 연 400만원을 한도로 한다.

정답 1

② 세대주가 주택자금공제를 받지 아니하는 경우에는 세대원 중 근로소득이 있는자도 공제를 받을 수 있다.

③ 장기주택저당차입금의 이자상환액은 취득 당시 기준시가가 5억원 이하인 국민주택규모의 주택을 취득하는 경우에 적용할 수 있다.

④ 주택마련저축 납입액에 대한 소득공제 한도는 연간 240만원이다.

07   다음 중 신용카드 등 사용금액에 대한 소득공제에 관한 내용 중 틀린 것은?

① 신용카드 등 사용금액에 대한 소득공제는 근로소득이 없는 사업자는 공제받지 못한다.

② 근로소득이 있는 거주자의 배우자로서 연간 소득금액이 100만원 이하인 자가 사용한 신용카드 사용금액도 공제금액에 포함할 수 있다.

③ 국외에서 사용한 신용카드 사용액은 신용카드 공제금액에서 제외한다.

④ 중고자동차 구입금액은 신용카드 공제금액에서 제외한다.

정답 4

신차를 구입하는 경우는 신용카드 공제금액에서 제외하지만 중고자동차의 경우는 신용카드 공제대상 금액에 포함한다.

08 소득공제에 대한 설명 중 옳지 <u>않은</u> 것은?

① 과세기간 종료일 현재 무주택 세대주로서 근로소득이 있는 거주자가 국민주택 규모의 주택을 임차하기 위하여 차입한 차입금의 이자상환액은 전액 소득금액 에서 공제한다.

② 근로소득이 있는 거주자가 부담하는 건강보험료를 납부한 경우 그 금액은 해당 과세기간의 근로소득금액에서 공제한다.

③ 거주자의 직계존속이나 직계비속이 주거 형편상 별거하고 있는 경우에도 생계 를 같이 하는 사람으로 본다.

④ 해당 과세기간 중 장애가 치유되어 해당 과세기간 종료일에는 장애인이 아닌 경 우에도 추가공제를 적용받을 수 있다.

정답 **1**

차입금의 원리금상환액은 세법상 한도 내의 금액을 공제한다.

09 다음 중 신용카드 등 사용금액에 대한 소득공제 중 사용금액에서 <u>제외되는</u> 것은?

가. 세액공제를 받지 않은 월세지급액
나. 국외에서의 신용카드 사용금액
다. 상품권 등 유가증권의 구입비와 리스료(차량 대여료 포함)
라. 미술관 입장료를 구입하는 비용

① 나　　② 다, 라　　③ 나, 다　　④ 가, 나

정답 **3**

10 다음 자료를 이용하여 근로소득자인 홍길동 씨의 신용카드 등 사용금액에 대한 소득공제액을 계산하시오.

가. 본인 및 생계를 같이하는 부양가족의 신용카드등 사용금액은 다음과 같다.

구분	소득금액	사용금액	비고
본인	3,000만원	1,300만원(신용카드사용분)	전통시장사용 400만원 포함
배우자	없음	800만원(체크카드사용분)	
장녀	300만원	200만원(신용카드사용분)	미술관 사용 100만원 포함
동생	1,000만원	100만원(현금영수증사용분)	

1) 홍길동 씨의 해당과세기간 총급여액은 4,000만원이다.
2) 장녀의 소득금액은 전부 일용근로자로 일하고 수령한 급여이다.
3) 모의 소득금액은 전부 사업소득금액이다.

① 360만원 ② 400만원 ③ 430만원 ④ 500만원

정답 3

가. 사용금액의 구분
ㄱ) 전통시장 사용금액 : 400만원
ㄴ) 미술관 사용금액 : 100만원
ㄷ) 체크카드등 사용금액 : 800만원
ㄹ) 신용카드 사용금액 : 1,000만원

나. 공제대상금액
ㄱ) 전통시장 사용금액 : 400만원 × 40% = 160만원
ㄴ) 체크카드 및 미술관 사용금액 : (800만원+100만원) × 30% = 270만원
ㄷ) 신용카드 사용금액 : (1,000만원 − 4,000만원 × 25%) × 15% = 0원
ㄹ) 총계 : 430만원

다. 공제한도
ㄱ) 일반한도 : min(4,000만원 × 20% = 800만원, 300만원) = 300만원
ㄴ) 추가한도 : min(ⓐ,ⓑ) =
ⓐ 430만원 − 300만원 = 130만원
ⓑ min(400만원 × 40%, 100만원) + min(100만원 × 30%, 100만원) = 130만원
ㄷ) 총계 : 300만원 + 130만원 = 430만원

11 다음 자료를 이용하여 홍길동 씨의 주택자금소득공제액을 계산하시오.

가. 홍길동 씨는 근로소득자로서 무주택 세대주이다.
나. 해당 과세기간의 총급여액은 4,000만원이다.
다. 해당 과세기간 국민주택규모의 주택을 임차하기 위하여 차입한 금액에 대한 원리금을 500만원 상환하였다.
라. 주택청약종합저축에 가입하고 해당 과세기간 동안 200만원을 납입하였다.

근로소득공제액
총급여액 1,500만원 초과 4,500만원 이하: 750만원 + 1,500만원 초과액의 15%

① 80만원　　　② 280만원　　　③ 300만원　　　④ 180만원

정답 2

공제금액 : min(ⓐ,ⓑ) = 280만원
ⓐ 주택마련저축 납입액의 40% + 임차원리금상환액의 40%
= 200만원 × 40% + 500만원 × 40% = 280만원
ⓑ 한도 : 300만원

6) 종합소득산출세액의 계산

(1) 종합소득세율

과세표준	세율	누진공제액
1,200만원 이하	6%	–
1,200만원 초과 4,600만원 이하	15%	1,080,000
4,600만원 초과 8,800만원 이하	24%	5,220,000
8,800만원 초과 1억5천만원 이하	35%	14,900,000
1억5천만원 초과 3억원 이하	38%	19,400,000
3억원 초과 5억원 이하	40%	25,400,000
5억원 초과 10억원 이하	42%	35,400,000
10억원 초과	45%	65,400,000

(2) 종합과세 되는 금융소득이 있는 경우 산출세액의 계산방법

종합소득과세표준에 포함된 금융소득이 있는 경우에는 일반적인 세율을 통해서 산출세액을 계산하지 아니하고 다음의 산식과 비교하여 세액을 계산하게 되는데, 이를 비교과세라고 한다.

종합소득산출세액 = Max[일반산출세액, 비교산출세액]

① 일반산출세액

[과세표준 - 2,000만원] × 기본세율 + 2,000만원 × 14%

② 비교산출세액

A. 일반적인 경우

[과세표준 - 금융소득금액] × 기본세율 + 금융소득 총수입금액[11] × 원천징수세율[12]

B. 출자공동사업자의 분배금이 포함된 경우

Max[㉠, ㉡] + 금융소득 총수입금액 × 원천징수세율[6]

㉠ (과세표준 - 금융소득금액) × 기본세율

㉡ (과세표준 - 금융소득금액 - 출자공동사업자 분배금) × 기본세율 + 출자공동 사업자 분배금 × 14%

(3) 세액공제

① 소득세법상 일반세액공제

A. 배당세액공제

종합소득금액에 배당가산액이 합산되어 있는 경우, 배당소득에 대한 이중과세를 조정하기 위하여 해당금액을 산출세액에서 공제한다.

배당세액공제액 = Max(㉠, ㉡)

㉠ 배당가산액

㉡ 종합소득산출세액 - 비교산출세액

B. 기장세액공제

소득세법상 사업자는 간편장부대상자와 복식부기대상자로 구분하고 있다. 간편장부대상자는 수입금액이 낮은 사업자로서 장부를 기장할 여건이 되지 않기 때문에 복식부기가 아닌 간편장부로 신고를 할 수 있게 하고 있다. 그럼에도 간편장부대상자가 복식부기에 의해 계산한 소득금액으로 과세표준확정신고를 하는 경우에는 다음의 금액을 공제해주고 있다.

---

11. Gross-up 금액은 제외한다.

12. 비영업대금의 이익은 25%, 그 밖의 금융소득은 14%를 적용한다.

기장세액공제액 = Min(㉠, ㉡)

㉠ 종합소득산출세액 × (기장된 종합소득금액)/종합소득금액 × 20%

㉡ 한도 : 연간 100만원

C. 근로소득세액공제

근로소득이 있는 거주자는 다음의 금액을 산출세액에서 공제한다.

근로소득에 대한 산출세액[13]	근로소득세액공제 금액
130만원 이하	산출세액의 55%
130만원 초과	71만 5천원 + 130만원 초과세액의 30%

단, 근로소득세액공제액의 한도는 다음과 같다.

총 급여액	공제한도액
3,300만원 이하	74만원
3,300만원 초과 7,000만원 이하	Max(㉠,㉡) ㉠ 74만원 – 3,300만원 초과액의 0.8% ㉡ 66만원
7,000만원 초과	Max(㉠,㉡) ㉠ 66만원 – 7,000만원 초과액의 50% ㉡ 50만원

D. 자녀세액공제

종합소득이 있는 거주자의 기본공제대상자에 해당하는 자녀로서 7세 이상에 해당하는 경우에는 다음의 금액을 산출세액에서 공제한다.

구분	세액공제액
기본공제	a. 자녀가 1인인 경우: 15만원 b. 자녀가 2인인 경우: 30만원 c. 자녀가 3인 이상인 경우: 　　30만원 + 2인 초과인원당 30만원

---

13. 근로소득에 대한 산출세액 = 종합소득산출세액 × $\dfrac{\text{근로소득금액}}{\text{종합소득금액}}$

구분	세액공제액
출산, 입양공제	a. 첫째: 30만원 b. 둘째: 50만원 c. 셋째: 70만원

E. 연금계좌세액공제

종합소득이 있는 거주자가 연금계좌에 납입한 금액에 대하여 다음의 금액을 산출세액에서 공제한다. 단, 세액공제액이 산출세액을 초과하는 경우 그 초과하는 공제액은 없는 것으로 한다.

a. 공제대상 납입액

Min(㉠, ㉡)

㉠ 연금저축계좌 납입금액 + 퇴직연금계좌 납입금액

㉡ 한도[14] : 400만원 + min[퇴직연금계좌, 300만원]

② 소득세법상 특별세액공제

특별세액공제 = 보험료 + 의료비 + 교육비 + 기부금 세액공제액

A. 보험료 세액공제

근로소득이 있는 거주자가 보장성보험의 보험계약에 따라 지급하는 보험료에 대하여 다음에 대한 금액을 산출세액에서 공제한다

a. 장애인전용 보장성보험료: 기본공제대상자 중 장애인을 피보험자 또는 수익자로 하는 보험료(연간 100만원 한도)

b. 일반 보장성보험료: 기본공제대상자를 피보험자로 하는 보장성보험의 보험료(연간 100만원 한도)

---

14. 종합소득금액이 1억원을 초과하는 경우에는 한도액을 다음과 같이 적용한다.

한도액 : 300만원 + min[퇴직연금계좌, 400만원]

공제액 = 장애인 보험료의 15% + 일반 보험료의 12%

B. 의료비 세액공제

a. 공제대상 의료비

구분	내용
난임시술비	보조생식술에 소요된 비용 전액
본인 등 의료비	· 거주자 본인 의료비 · 과세기간 종료일 현재 65세 이상인 자의 의료비 · 장애인 의료비
기타 의료비[15]	위의 의료비를 제외한 기타 의료비 중 총급여액의 3%를 초과하는 금액을 공제대상 의료비로 한다.(한도: 700만원)

b. 세액공제액의 계산

의료비 세액공제액 = ㉠ + ㉡

㉠ 난임시술비의 20%

㉡ (본인 등 의료비 + 기타 의료비)의 15%

※ 단, 보험회사 등으로부터 지급받은 실손의료보험금은 의료비에서 제외

C. 교육비 세액공제

a. 일반교육비

근로소득이 있는 거주자가 본인과 기본공제대상자인 배우자, 직계비속, 형제자매, 입양자 및 위탁아동을 위하여 교육비를 지급한 경우에는 다음의 금액을 산출세액에서 공제한다.

일반교육비 세액공제액 = 공제대상 교육비[16]의 15%

---

15. 기타의료비가 총 급여액의 3%에 미달하는 경우에는 해당 금액을 본인 등 의료비와 난임시술비에서 순차적으로 차감한다.

16. 본인을 위하여 지급한 교육비는 전액을 공제하며, 그 외 기본공제대상자를 위해 지출한 교육비는 대학생은 900만원(1인), 초등학교 취학 전 아동과 초, 중, 고등학생은 300만원(1인)을 한도로 한다.

· 공제대상 교육비

구분	본인	부양가족
대학원	O	X
대학교, 전공대학, 원격대학, 학위취득과정	O	O
초등학교, 중학교, 고등학교, 평생교육시설	O	O
어린이집, 유치원, 학원 또는 체육시설	X	O
대학 또는 대학원의 1학기 이상에 해당하는 교육과정과 시간제과정	O	X
직업능력개발훈련시설	O	X
학자금 대출의 원리금 상환액	O	X

b. 장애인특수교육비

기본공제대상자인 장애인의 재활교육을 위하여 지급하는 특수교육비의 15%를 세액공제한다

D. 기부금 세액공제

거주자가 지급한 기부금이 있는 경우 한도 내 금액 중 아래와 같이 계산한 금액에 대해서 산출세액에서 공제한다. 단, 사업소득만 있는 자는 필요경비에 산입할 수 있어 제외하며, 연말정산대상 사업소득자는 포함한다

기부금 세액공제금액 = ㉠ + ㉡
㉠ 공제대상 기부금 중 1천만원 이하의 금액에 대해 15%
㉡ 공제대상 기부금 중 1천만원 초과의 금액에 대해 30%

· 공제한도 = 종합소득산출세액 × $\dfrac{(\text{종합소득금액} - \text{사업소득금액})}{\text{종합소득금액}}$

a. 공제대상 기부금

> **공제대상 기부금: (법정기부금 전액 + 우리사주조합기부금 한도내금액 + 지정기부금 한도내금액) - 필요경비 산입 기부금**

· 우리사주조합기부금 한도금액

(기준소득금액[17] - 법정기부금 공제액) × 30%

· 지정기부금 한도금액

- 종교단체 기부금이 있는 경우

(기준소득금액 - 법정 및 우리사주조합 기부금 공제액) × 10% + Min[(기준소득금액 - 법정 및 우리사주조합기부금 공제액) × 20%, 종교단체 외에 지급한 지정기부금]

- 종교단체 기부금이 없는 경우

(기준소득금액 - 법정 및 우리사주조합 기부금 공제액) × 30%

b. 기부금의 구분

구분	내용
법정기부금	· 법인세법상 법정기부금 · 특별재난지역을 복구하기 위하여 자원봉사한 경우 그 용역의 금액
지정기부금	· 법법인세법상 지정기부금 · 노동조합비, 교원단체 회비, 공무원직장협의회비 등 · 기부금 대상 민간단체에 지출하는 기부금 　단, 지정일이 속하는 과세기간으로부터 5년간 지출하는 기부금만 해당함

③ 조세특례제한법상 세액공제

A. 월세액에 대한 세액공제

과세기간 종료일 현재 무주택 세대주로서 총 급여액이 7천만원 이하인 근로소득이 있는 근로자가 법정요건을 충족하는 월세를 지급하는 경우 다음의 금액을 산출세액에서 공제한다.

> **월세액에 대한 세액공제금액 = 월세지급액의 10% (한도: 750만원)**

---

17. 기준소득금액 = 종합소득금액 + 필요경비 산입 기부금 - 원천징수세율 적용 금융소득

B. 성실사업자에 대한 의료비 등 세액공제

a. 의료비 등 세액공제

조세특례제한법상 성실사업자 또는 성실신고확인대상 사업자로서 성실신고 확인서를 제출한 자가 의료비를 지출한 경우 그 지출한 금액의 15%(난임시술비는 20%)에 해당하는 금액을 공제한다.

b. 월세액에 대한 세액공제

종합소득금액이 6천만원 이하인 성실사업자 또는 성실신고확인대상사업자로서 성실신고확인서를 제출한 자가 월세를 지급한 경우 지급액의 10%에 해당하는 금액을 공제한다. 단, 월세액이 750만원을 초과하는 경우 그 초과하는 금액은 없는 것으로 한다.

C. 정치자금기부금 세액공제

기부금액	세액공제금액
10만원 이하인 경우	기부금액의 100/110
10만원 초과인 경우	10만원 초과금액의 15%

※ 기부금액이 2천만원을 초과하는 경우 그 초과분은 30%를 적용

D. 성실신고확인비용에 대한 세액공제

성실신고 확인에 직접 사용한 비용의 60%에 해당하는 금액을 해당 과세연도의 산출세액에서 120만원을 한도로 공제한다.

E. 잔자신고에 대한 세액공제

납세자가 직접 전자신고의 방법으로 확정신고를 하는 경우에는 납부세액에서 2만원을 공제한다. 단, 납부세액이 음수인 경우에는 이를 없는 것으로 한다.

④ 특별세액공제 등의 한도와 이월공제

A. 특별세액공제 등의 한도

공제액	한도액
보험료, 의료비, 교육비, 월세액 세액공제액의 합계액	근로소득에 대한 종합소득산출세액
자녀세액, 연금계좌세액, 특별세액공제 및 정치자금기부금의 합계액	공제기준 산출세액[18]
소득세법 또는 조세특례제한법에 따른 감면 및 공제액의 합계액	합산과세되는 종합소득산출세액
재해손실세액공제액	산출세액에서 세액감면액 및 공제액을 차감한 후 가산세를 더한 금액

B. 기부금 세액공제액의 이월공제

한도를 초과한 금액에 기부금 세액공제가 포함되어 있는 경우 해당 기부금과 한도액을 초과하여 공제받지 못한 지정기부금은 해당 과세기간의 다음 과세기간의 개시일부터 10년 이내에 끝나는 각 과세기간에 이월하여 기부금 세액공제액을 산출세액에서 공제한다.

(4) 세액감면

① 소득세법상 세액감면

구분	세액감면 대상소득	감면율
근로소득	우리나라에 파견된 외국인이 상호 또는 일방의 정부로부터 받는 급여	100%
사업소득	대한민국의 국적을 가지지 아니한 자가 선박과 항공기의 외국항행 사업으로부터 얻는 소득	100%

---

18. 공제기준 산출세액 = 종합소득산출세액 × $\dfrac{\text{원천징수세율을 적용받는 금융소득금액의 합계액}}{\text{종합소득금액}}$

② 조세특례제한법상 세액감면

A. 중소기업 취업자에 대한 소득세 감면

청년, 60세 이상인 사람, 장애인 및 경력단절 여성이 중소기업체에 취업하는 경우 근로소득으로서 취업일부터 3년(청년은 5년)이 되는 날이 속하는 달까지 발생한 소득에 대해서는 소득세의 70%(청년은 90%)에 상당하는 세액을 감면한다. 단, 과세기간별로 150만원을 한도로 한다.

B. 외국인근로자에 대한 과세특례

국내에서 최초로 근로를 제공한 날부터 5년 이내에 끝나는 과세기간까지 받는 근로소득에 대한 소득세는 해당 근로소득에 19%의 세율을 적용한 금액으로 한다.

C. 경영성과급에 대한 세액감면

성과공유 중소기업의 근로자 중 다음에 해당하는 사람을 제외한 근로자가 해당 중소기업으로부터 경영성과급을 수령하는 경우, 그 성과급에 대한 소득세의 50%에 상당하는 세액을 감면한다.

a. 과세기간의 총 급여액이 7천만원을 초과하는 경우

b. 기업의 최대주주, 최대주주의 직계존비속과 배우자, 최대주주와 친족관계에 있는 사람

01 소득세법상 세액공제에 대한 내용 중 옳지 않은 것은?

① 복식부기의무자도 장부를 작성하여 종합소득세를 신고하는 경우에는 기장세액공제를 적용받을 수 있다.

② 사업자가 해당 과세기간에 천재지변이나 그 밖의 재해로 사업용 자산의 20% 이상에 해당하는 자산을 상실하여 납세가 곤란하다고 인정되는 경우에는 재해손실세액공제를 적용할 수 있다.

③ 일용근로자의 경우 근로소득에 대한 산출세액의 55%에 대한 금액을 공제한다.

④ 사업소득만 있는 거주자도 연금계좌에 납입한 금액이 있는 경우에는 해당 과세기간의 산출세액에서 공제할 수 있다.

정답 1

기장세액공제는 간편장부대상자가 복식으로 장부를 기장 및 비치하는 경우에 계산한 금액의 20%에 해당하는 금액을 공제하는 것을 말한다.

02 소득세법상 보험료 세액공제 중 틀린 것은?

① 사업소득만 있는 거주자가 보장성보험에 불입하는 보험료는 세액공제 받을 수 없다.

② 보험료 세액공제 대상 기본공제대상자는 소득요건을 충족하지 못하더라도 세액공제를 받을 수 있다.

③ 만기에 환급되는 금액이 100만원 미만인 보험계약에 의해 납입하는 보험료에 대해 보험료 세액공제를 받을 수 없다.

④ 장애인전용보장성보험료와 일반보장성보험료를 같이 불입하는 경우 각각 100만원을 한도로 세액공제 받을 수 있다.

정답 2

보험료 세액공제 대상 기본공제대상자는 소득과 나이요건을 모두 충족하여야 한다.

03 다음 자료를 이용하여 신해인 씨의 보험료 세액공제금액을 계산하시오.

가. 본인을 피보험자로 하는 생명보험료: 700,000원(보장성보험에 해당)
나. 배우자[1]를 피보험자로하는 실비보험료: 300,000원(보장성보험에 해당)
다. 장녀[2]를 피보험자로하는 가족사랑보험료: 1,000,000원(저축성보험에 해당)
라. 장남[2]을 피보험자로 하는 장애인보장성보험료: 1,500,000원

   1) 배우자는 분리과세되는 이자소득이 1,000만원 있다.
   2) 장남과 장녀는 18세로서 소득은 없다. 장남은 장애인에 해당한다.

① 84,000원   ② 270,000원   ③ 243,000원   ④ 309,000원

정답 2

70만원(본인 생명보험료) + 30만원(배우자 실비보험료) + 100만원(장남 보장성보험료)
= 100만원 × 12% + 100만원 × 15% = 27만원

04 소득세법상 의료비 세액공제에 대한 설명으로 옳은 것은?

① 의료비 세액공제는 사업소득만 있는 거주자는 공제받지 못한다.
② 한의원에서 치료목적으로 구입한 한약구입비용은 공제대상 의료비에서 제외된다.
③ 공제대상 의료비에서 보험회사로부터 수령한 실손의료보험금은 차감하여야 한다.
④ 본인 등 의료비를 제외한 기타의료비가 총급여액의 3%에 미달하는 경우에는 미달하는 금액을 의료비공제액에서 차감한다.

정답 4

① 조세특례제한법상 성실사업자 또는 성실신고확인대상 사업자로서 성실신고확인서를 제출한 자는 의료비 세액공제를 적용할 수 있다.
② 한약의 경우 치료 및 요양을 위한 경우에는 공제대상 의료비에 포함한다.
④ 3%에 미달하는 경우에는 미달하는 금액을 의료비공제대상 금액에서 차감한다.

05 다음 자료를 바탕으로 거주자인 이동작 씨의 의료비 공제액을 계산하시오.

가. 이동작 씨의 과세기간 총 급여액은 5,000만원이다.
나. 본인과 기본공제대상자를 위하여 지급한 의료비는 다음과 같다.

대상자	나이	지출금액	의료비 내용
본인	40세	700,000원	시력보정용 안경 구입
배우자	38세	3,000,000원	난임시술비
부친	69세	5,000,000원	치료목적 한약구입비
장남	19세	1,000,000원	치과치료비

① 1,305,000원   ② 1,380,000원   ③ 1,455,000원   ④ 1,350,000원

정답 4

가. 공제대상 의료비
  ㄱ) 본인 등 의료비 : 50만원(본인 안경구입) + 500만원(부친 한약구입비) = 550만원
  ㄴ) 난임시술비 : 300만원
  ㄷ) 기타의료비 : 100만원

나. 세액공제금액
  ㄱ) 본인 등 의료비 : (550만원 − 50만원) × 15% = 75만원
  ㄴ) 난임시술비 : 300만원 × 20% = 60만원
  ㄷ) 기타의료비 : (100만원 − 5,000만원 × 3%) = △50만원
  ㄹ) 계 : 75만원 + 60만원 = 135만원

06 다음 중 소득세법상 교육비 세액공제에 대한 설명으로 옳지 <u>않은</u> 것은?

① 기본공제대상자인 직계비속은 일반교육비 세액공제를 적용 받을 수 없다.
② 기본공제대상자인 장남의 대학원 등록금은 공제대상 교육비에서 제외된다.
③ 중고등학교의 학생에 대한 교복구입비용의 공제대상 교육비 한도는 30만원이다.
④ 장애인특수교육비의 공제대상 교육비는 한도없이 전액을 공제할 수 있다.

정답 3

교복구입비용의 한도금액은 1인당 연간 50만원이다.

07 다음 자료를 근거로 근로소득자인 홍길동 씨의 교육비 세액공제액을 계산하시오.

가. 본인의 대학원 등록금	10,000,000원
나. 23세의 장남 대학교 등록금(소득은 없음)	5,000,000원
다. 장남의 공인회계사 학원 수강료	1,000,000원
라. 5세인 차녀의 유치원 교육비(소득은 없음)	500,000원
마. 60세인 부친의 야간학교 등록금(소득은 없음)	3,000,000원

① 2,175,000원   ② 2,325,000원   ③ 2,475,000원   ④ 2,925,000원

정답 2

[1,000만원(본인 대학원) + 500만원(장남 대학등록금) + 50만원(차녀 유치원)] × 15%
= 232.5만원

08 다음 중 기부금 세액공제에 대한 설명으로 옳지 <u>않은</u> 것은?

① 사업소득이 있는 자는 기부금 세액공제가 아니라 필요경비 산입의 대상이다.

② 기본공제대상자 중 직계존속이 지출한 기부금은 공제대상금액에서 제외한다.

③ 당해 과세연도에 공제받지 못한 기부금은 이월하여 공제받을 수 있다.

④ 특별재난지역 복구를 위해 자원봉사한 경우 그 용역의 가액에 대하여 기부금 세액공제를 적용할 수 있다.

> 정답 2

기본공제대상자가 지급한 기부금도 공제대상금액에 포함한다.

09 다음 자료를 바탕으로 근로소득자인 홍길동 씨의 기부금 세액공제액을 계산하시오.

> 가. 홍길동 씨의 총급여는 41,470,590원 이다.
> 나. 기부금 지출내역은 다음과 같다.
>   ㄱ) 법정기부금: 5,000,000원
>   ㄴ) 지정기부금: 1,500,000원
>   ㄷ) 지정기부금: 6,000,000원(종교단체에 기부한 금액)
> 다. 근로소득공제
>   750만원 + 1,500만원 초과액의 15%

① 950,000원   ② 1,100,000원   ③ 1,350,000원   ④ 1,595,000원

> 정답 3

가. 지정기부금 한도금액
  (3,000만원 − 500만원) × 10% + min(500만원, 150만원) = 400만원
나. 기부금 공제대상금액
  500만원(법정기부금) + 400만원(지정기부금) = 900만원
다. 세액공제금액
  900만원 × 15% = 135만원

10 다음 중 조세특례제한법상 세액공제에 대한 설명 중 옳지 <u>않은</u> 것은?

① 사업소득만 있는 자는 월세액에 대한 세액공제를 적용 받을 수 없다.

② 월세액에 대한 세액공제는 근로소득만 있는 경우 총급여액이 7천만원을 초과하는 경우는 적용 받을 수 없다.

③ 성실신고확인대상사업자는 근로소득이 없더라도 의료비 세액공제를 적용 받을 수 있다.

④ 납세자가 직접 전자신고를 통해 확정신고를 하는 경우에는 납부세액에서 2만원을 공제한다. 단, 납부세액이 없는 경우에는 이를 없는 것으로 한다.

정답 1

종합소득금액이 6천만원 이하인 조세특례제한법상 성실사업자 또는 성실신고확인대상사업자로서 성실신고확인서를 제출한 경우에는 월세액에 대한 세액공제를 적용받을 수 있다.

7) 퇴직소득세

(1) 의의

명칭에 관계없이 근로대가로서 현실적인 퇴직을 원인으로 지급받는 소득을 말한다. 근로소득은 계속적이고 반복적으로 발생하지만, 퇴직소득은 퇴직하는 시점에 일시적, 우발적으로 발생한다. 그렇기 때문에 퇴직소득을 종합소득에 포함시킨다면 퇴직하는 시점에 높은 세율을 적용받기 때문에 불합리한 경우가 발생하곤 한다. 그렇게 때문에 퇴직소득은 종합소득과 별도로 분류하여 과세한다.

(2) 퇴직소득금액의 계산

① 퇴직소득의 구분

A. 퇴직일시금

사용자 부담금을 기초로 현실적인 퇴직을 원인으로 지급받는 소득을 말한다.

B. 공적연금 일시금

공적연금 관련법에 의해 지급받는 금액으로서, 2002년 1월 1일 이후에 납입된 연금 기여금 및 사용자 부담금을 기초로 하거나 2002년 1월 1일 이후 근로의 제공을 기초로 하여 받은 일시금에 한하고 있다.

계산방법
퇴직소득금액 = 과세기준금액 – 과세제외기여금 등

국민연금의 과세기준금액 = Min[ⓐ, ⓑ]
ⓐ 과세기준일 이후 납입한 기여금 등의 누계금액 + 이자
ⓑ 실제 지급받은 일시금 – 과세기준일 이전에 납입한 기여금 등

국민연금 외의 공적연금 과세기준금액
과세기준금액 = 과세기간 일시금 수령액 $\times \dfrac{\text{과세기준일 이후 기여금 납입월수}}{\text{총 기여금 납입월수}}$

C. 기타

a. 과학기술인공제회법에 따라 지급받는 과학기술발전장려금

b. 건설근로자의 고용개선 등에 관한 법률에 따라 지급받는 퇴직공제금

c. 폐업 등 법정사유가 발생하여 수령하는 소기업소상공인 공제부금으로서 실제 소득공제 받은 금액을 초과하여 납입한 금액의 누계를 차감한 금액

d. 종교관련종사자가 퇴직을 원인으로 종교단체로부터 지급받는 소득

② 임원에 대한 퇴직소득 한도액

임원의 퇴직소득금액[19]이 한도액을 초과하는 경우, 그 초과하는 금액은 근로소득으로 본다.

임원퇴직소득 한도액 = A + B

A. 2019년 12월 31일 이전 3년간 평균급여액 $\times \dfrac{1}{10} \times$ 2019.12.31.이전 근무기간/12 × 3

B. 퇴직 전 3년간 평균급여액 $\times \dfrac{1}{10} \times$ 2020.1.1.이후 근무기간/12 × 2

③ 비과세 퇴직소득

소득세법상 비과세 근로소득으로 열거된 소득 중에서 퇴직할 때 또는 퇴직 후에 지급받는 소득은 비과세 퇴직소득에 해당한다.

④ 퇴직소득의 과세이연

A. 요건

다음 중 어느 하나에 해당하는 경우에는 해당 퇴직소득에 대한 소득세를 연금 외수령하기 전까지 원천징수하지 않는다.

a. 퇴직일 현재 연금계좌에 있거나 연금계좌로 지급되는 경우

b. 퇴직하여 지급받은 날부터 60일 이내에 연금계좌에 입금되는 경우

---

19. 공적연금관련법에 의해 수령하는 일시금은 제외한다. 또한. 2011년 12월 31일 퇴직을 가정하고 수령하는 퇴직소득금액은 차감한다.

B. 과세이연되는 퇴직소득세액

$$퇴직소득세액 = 퇴직소득산출세액 \times \frac{연금계좌로\ 지급\ 또는\ 입금된\ 금액}{퇴직소득금액}$$

B. 과세이연 퇴직소득을 연금외수령하는 경우의 원천징수세액

$$원천징수세액 = 과세이연\ 퇴직소득세 \times \frac{연금외수령한\ 과세이연퇴직소득}{연금외수령당시\ 과세이연퇴직소득}$$

$$이연퇴직소득세\ 누계액 = 이연퇴직소득세\ 누계액 \times \frac{인출퇴직소득누계액}{이연퇴직소득누계액}$$

(3) 퇴직소득산출세액의 계산

① 환산급여에 의한 퇴직소득 산출세액의 계산

퇴 직 소 득 금 액	………	퇴직급여액 – 비과세소득
(-) 근 속 연 수 공 제	………	
(-) 환 산 급 여 에 따 른 공 제		
(=) 퇴 직 소 득 과 세 표 준		
(×) 기 본 세 율	………	6-42% 누진세율
(=) 퇴 직 소 득 산 출 세 액	………	

A. 퇴직소득공제

퇴직소득이 있는 경우 해당 과세기간의 퇴직소득금액에서 근속연수공제와 환산급여에 따른 공제를 순차적으로 계산한다.

a. 근속연수공제

근속연수	공제금액
5년 이하	30만원 × 근속연수
5년 초과 10년 이하	150만원 + 50만원 × (근속연수 – 5년)
10년 초과 20년 이하	400만원 + 80만원 × (근속연수 – 10년)
20년 초과	1,200만원 + 120만원 × (근속연수 – 20년)

b. 환산급여

$$환산급여 = (퇴직소득금액 - 근속연수공제) \times \frac{12}{근속연수}$$

*1년 미만의 기간은 1년으로 본다

c. 환산급여에 따른 공제

환산급여	공제금액
800만원 이하	환산급여의 100%
800만원 초과 7,00만원 이하	800만원+(환산급여-800만원) × 60%
7,000만원 초과 1억원 이하	4,520만원+(환산급여-7,000만원) × 55%
1억원 초과 3억원 이하	6,170만원+(환산급여-1억원) × 45%
3억원 초과	1억 5,170만원+(환산급여-3억원) × 35%

B. 퇴직소득산출세액

$$퇴직소득산출세액 = (퇴직소득과세표준 \times 기본세율) \times \frac{근속연수}{12}$$

(4) 퇴직소득 결정세액

퇴직소득 결정세액은 산출세액에서 외국납부세액공제액을 차감한 금액으로 한다. 여기서 외국납부세액공제액은 아래와 같이 계산한다.

Min[①, ②]
① 공제금액 : 외국소득세액
② 공제한도 : 퇴직소득산출세액 × $\dfrac{국외원천소득}{퇴직소득금액}$

(5) 퇴직소득의 수입시기와 과세방법

① 수입시기

퇴직한 날을 퇴직소득의 수입시기로 한다. 단, 국민연금법에 따른 일시금과 건설근로자 고용개선 등에 관한 법률에 따른 퇴직공제금의 경우에는 소득을 지급받는 날을 수입시기로 한다.

② **과세방법**

A. 원천징수

소득을 지급하는 자가 퇴직소득 결정세액을 원천징수하여야 한다. 단, 원천징수대상이 아닌 근로소득이 있는 사람이 퇴직함으로써 받는 소득은 원천징수대상이 아니다.

B. 정산

퇴직소득을 지급받을 때 다음의 퇴직소득에 대한 원천징수영수증을 원천징수의무자에게 제출하는 경우 원천징수의무자는 퇴직자에게 이미 지급된 퇴직소득과 자기가 지급할 퇴직소득을 합계한 금액에 대하여 정산한 소득세를 원천징수하여야 한다.

a. 해당 과세기간에 기지급받은 퇴직소득

b. 근로제공을 위하여 체결하는 계약으로서 사용자가 같은 하나의 근로계약에서 이미 지급받은 퇴직소득

C. 확정신고

해당 과세기간에 퇴직소득금액이 있는 거주자는 그 퇴직소득과세표준을 다음연도 5월 1일부터 31일까지 확정신고하여야 한다. 단, 퇴직소득만 있거나 종합소득금액에 합산하지 않는 종합소득이 있는 경우에는 확정신고를 하지 않을 수 있다.

01 다음 중 소득세법상 퇴직소득에 대한 내용으로 옳지 <u>않은</u> 것은?

① 국민연금은 2002년 1월 1일 이후 납입한 기여금에 대하여 퇴직소득으로 과세한다.

② 퇴직소득은 종합소득 및 양도소득과 분류하여 별도로 과세한다.

③ 임원 퇴직소득 한도액의 계산 시 근무기간은 2012년 1월 1일 이후의 근무기간을 말한다.

④ 퇴직소득의 수입시기는 퇴직소득을 수령한 날로 한다.

정답 **4**

퇴직소득의 수입시기는 퇴직한 날로 한다.

02 퇴직소득에 대한 과세규정에 대한 설명으로 옳지 <u>않은</u> 것은?

① 거주자의 퇴직소득이 연금계좌로 지급되는 경우에는 해당 퇴직소득에 대한 소득세를 원천징수 하지 아니한다.

② 퇴직소득을 지급받은 날부터 60일 이내에 연금계좌에 입금되는 경우에도 퇴직소득세를 원천징수 하지 아니한다.

③ 근속연수공제 계산 시 1년 미만의 기간이 있는 때에는 없는 것으로 보아 계산한다.

④ 퇴직소득금액이 있는 거주자는 퇴직소득에 대한 과세표준의 확정신고를 과세기간의 다음연도 5월 1일부터 5월 31일까지 확정신고하여야 한다.

정답 **3**

근속연수공제 계산 시 1년 미만의 기간에 대하여는 1년으로 보아 계산한다.

03 임원인 홍길동(거주자임)은 2021년 12월 31일자로 퇴직하였으며, 그로 인한 퇴직일시금으로 160,000,000원을 수령하였다. 홍길동은 2013년 1월부터 임원으로 재직하였으며, 급여자료는 다음과 같다.

　홍길동의 총급여 자료
　　가. 2019년말부터 3년간 지급받은 총급여의 연평균 환산금액: 4,000만원
　　나. 2020년 1월부터 퇴직일까지 받은 총급여액: 1억원

① 36,000,000　　② 44,000,000　　③ 50,000,000　　④ 56,000,000

정답 4

한도액: 가) + 나) = 1억 400만원
가) 4,000만원 × 1/10 × 84/12 × 3 = 8,400만원
나) (1억원 ×12/24) × 1/10 ×24/12 × 2 = 2,000만원
한도초과액 1억 6천만원 − 1억 400만원 = 56,000,000원

04 다음 자료를 바탕으로 아무개의 퇴직소득산출세액을 계산하시오.

　(1) 퇴직소득금액 : 25,000,000원
　(2) 입사일자 : 2017년 1월 1일
　(3) 퇴사일자 : 2020년 12월 31일
　(4) 근속연수공제 : 5년 이하 / 30만원 × 근속연수

① 486,000원　　② 608,000원　　③ 764,000원　　④ 911,500원

정답 4

가. 환산급여 : (2,500만원 − 30만원 × 4년) × 12/4년 = 71,400,000원
나. 환산급여에 따른 공제 : 45,200,000 + (71,400,000 − 70,000,000) × 55% = 45,970,000원
다. 퇴직소득 과세표준 : 71,400,000 − 45,970,000 = 25,430,000원
라. 산출세액 : 720,000 + (25,430,000 − 12,000,000) × 15% = 2,734,500원
　　　　→ 2,734,500원 × 4년/12 = 911,500원

8) 소득세의 납세절차

(1) 중간예납

사업소득이 있는 거주자는 매년 상반기의 기간을 중간예납기간으로 하여 해당 기간에 대한 소득세를 결정하여 11월 30일까지 징수하여야 한다. 단, 신규사업자의 경우 등법에서 정하는 자는 중간예납의무가 없다.

① 신고 및 납부

중간예납은 고지 및 징수를 원칙으로 한다. 단, 예외적으로 납세의무자가 중간예납기간의 소득에 대한 추계액을 신고·납부하는 방법이 있다.

A. 원칙 : 고지·징수

직전 과세기간의 종합소득에 대한 소득세로서 납부하였거나 납부하여야 할 세액의 50%를 중간예납세액으로 하여 11월 1일부터 15일까지의 기간에 고지서를 발부하며, 동월 30일까지 그 세액을 징수하여야 한다.

B. 예외 : 신고·납부

다음에 해당하는 경우에는 중간예납기간의 추계액에 의하여 계산한 세액을 중간예납세액으로 하여 11월 1일부터 30일가지 신고 및 납부한다.
   a. 중간예납기준금액이 없는 복식부기의무자가 해당 과세기간의 사업소득이 있는 경우(강제규정)
   b. 중간예납추계액이 중간예납기준액의 30%에 미달하는 경우로서 사업자가 중간예납추계액을 신고한 경우

② 사업장현황신고

사업자는 해당 사업장의 현황에 대해서 과세기간의 다음연도 2월 10일까지 소재지 관할세무서장에게 신고하여야 한다. 단, 부가가치세법에 따른 사업자가 부가가치세 예정신고 또는 확정신고를 한 경우에는 사업장현황신고를 한 것으로 본다.

③ 연말정산

근로소득, 일정 사업소득 또는 공적연금소득이 있는 거주자는 매월 그 소득을 지급받을 때 원천징수를 한다. 이때 징수한 세액과 연간소득에 대한 결정세액에 대한 차이를 조정하는 절차가 필요한데 이를 연말정산이라 한다.

A. 대상소득
  a. 근로소득
  b. 간편장부대상자인 보험모집인, 방문판매원 및 음료품배달원의 사업소득
  c. 공적연금소득
  d. 종교인 소득

B. 연말정산시기
  a. 퇴사자의 경우: 퇴직하는 달의 근로소득을 지급하는 때
  b. 거래계약을 해지하는 경우: 해지하는 달의 사업소득을 지급하는 때
  c. 공적연금소득자가 사망한 경우: 그 사망일이 속하는 달의 다음다음 달 말일
  d. 종교관련 종사자와의 소속관계가 종료되는 경우: 종료되는 달의 종교인소득을 지급하는 때

C. 종합소득과세표준 확정신고
  a. 종합소득과세표준
  해당 과세기간의 근로소득금액에서 종합소득공제를 차감한 금액
  b. 종합소득산출세액
  종합소득과세표준 × 기본세율
  c. 연말정산시 징수세액(환급세액)
  종합소득산출세액 - 원천징수세액 - 외국납부세액공제 및 근로소득세액공제 - 기타의 세액공제

D. 근로소득에 대한 원천징수영수증의 발급
  근로소득을 지급하는 원천징수의무자는 해당 과세기간의 다음연도 2월 말일까지 그 근로소득의 금액과 그 밖에 필요한 사항을 적은 원천징수영수증을 근로소득자에게 발급하여야 한다. 단, 일용근로자의 경우에는 일용근로소득의

지급일이 속하는 분기의 다음 달 말일까지 발급하여야 한다.

④ 과세표준확정신고

해당 과세기간의 종합소득금액이 있는 거주자는 그 과세표준을 그 과세기간의 다음연도 5월 1일부터 31일까지 관할세무서장에게 신고하여야 한다. 단, 다음에 해당하는 거주자에 대한 과세표준확정신고를 하지 아니할 수 있다.

구 분	내 용
연말정산대상 소득만 있는 자	A. 연말정산대상 근로소득 및 사업소득만 있는 자 B. 공적연금소득만 있는 자
퇴직소득만 있는 자	
종교인소득만 있는 자	원천징수되는 기타소득으로서 종교인소득만 있는 자
분리과세소득만 있는 자	분리과세되는 이자소득, 배당소득, 주택임대소득, 연금소득, 기타소득만 있는 자
기타	A. 수시부과 후 추가로 발생한 소득이 없는 자 B. 양도소득이 있는 거주자로서 양도소득과세표준 예정신고를 한 자

⑤ 가산세

가산세란 법에서 규정하는 의무를 성실하게 수행하지 못하는 경우에 부과하는 행정벌과금으로서 다음을 말한다.

구 분	내 용
지급명세서 제출불성실 가산세	A. 미제출: 지급금액의 1%(단 3개월 이내 제출 시 50% 감면) B. 불분명: 불분명하거나 사실과 다른 지급금액의 1% C. 근로소득간이지급명세서 미제출: 지급금액의 0.25%(단 3개월 이내 제출 시 50% 감면) D. 근로소득간이지급명세서 불분명 등: 사실과 다른 지급금액의 0.25%
전자계산서발급명세서 전송불성실가산세	A. 계산서의 필요적 기재사항의 전부 또는 일부가 기재되지 않았거나 사실과 다른 경우: 공급가액의 1% B. 매출,매입처별 계산서합계표 또는 매입처별 세금계산서합계표 미제출: 공급가액의 0.5%(단, 1개월 이내 제출 시 0.3%) C. 합계표의 필요적 기재사항의 전부 또는 일부가 기재되지 아니하거나 사실과 다른 경우: 공급가액의 0.5% D. 미발급: 공급가액의 2% E. 사실과 다른 계산서 발급: 2%
증빙불비가산세	받지 않거나 사실과 다른 금액의 2%
영수증수취명세서 미제출가산세	영수증수취명세서를 과세표준 확정신고기한까지 제출하지 아니하거나 제출한 명세서가 불분명하다고 인정되는 경우 제출하지 않은 금액 또는 불분명한 금액의 1%
사업장현황신고불성실 가산세	의료업, 수의업, 및 약사업을 행하는 사업자가 사업장 현황신고를 하지 아니하거나 신고하여야 할 수입금액에 미달하게 신고한 경우: 무신고 또는 미달하여 신고한 수입금액의 0.5%
공동사업장등록불성실 가산세	A. 공동사업자가 사업자를 등록하지 아니하거나 공동사업자를 거짓으로 등록한 경우: 미등록 또는 거짓등록에 대한 과세기간의 총수입금액의 0.5% B. 공동사업자가 사업자등록시 신고하여야 할 내용을 신고하지 아니하거나 거짓으로 신고한 경우: 미신고 또는 거짓신고에 해당하는 과세기간의 총수입금액의 0.1%
무기장가산세	소규모사업자가 아닌 사업자가 장부를 비치 및 기장하지 아니하였거나 장부에 의한 소득금액이 기장하여야 할 금액에 미달하는 경우: $$산출세액 \times \frac{무기장\ 또는\ 미달기장한\ 소득금액}{종합소득금액} \times 20\%$$

구 분	내 용
사업용계좌 미사용가산세	A. 사업용계좌의 사용의무가 있는 복식부기의무자가 사업용계좌를 사용하지 아니한 경우: 사용하지 않은 금액의 0.2% B. 복식부기의무자가 사업용계좌를 신고하지 아니한 경우: 가산세액 = Max [a, b] ⓐ 사업용계좌 미신고기간의 수입금액의 0.2% ⓑ 사업용계좌 사용대상인 거래금액 합계액의 0.2%
성실신고확인서 미제출 가산세	종합소득 산출세액 $\times \dfrac{\text{사업소득금액}}{\text{종합소득금액}} \times 5\%$